人文武术精品书系

勿使前辈之遗珍失于我手
勿使国术之精神止于我身

陈微明

太极剑

武学名家典籍丛书

陈微明武学辑注

陈微明·著

二水居士·校注

陈微明（1881–1958年）又名慎先，湖北蕲水人，武术名家。光绪二十八年（1902年）科举考中文举人。民国二年北洋政府设立清史馆，他曾任清史馆纂修之职，是《清史稿》作者之一。

他曾从孙禄堂先生学习形意拳和八卦掌，更心慕武当太极拳，遂不介而往拜候杨澄甫先生。澄甫先生欣然允诺，曰『愿得其人而传也』。陈微明学习太极拳时，正值澄甫先生精壮之年，所传功夫极为严谨，动作开展，腰马讲究。陈微明也本着严谨的学习精神，恪守规矩，每一招式都毫厘不差。

太极剑

北京科学技术出版社

出版人语

武术作为中华民族文化的重要载体，集合了传统文化中哲学、天文、地理、兵法、中医、经络、心理等学科精髓，它对人与自然和谐共生关系的独到阐释，它的技击方法和养生理念，在中华浩如烟海的文化典籍中独放异彩。

随着学术界对中华武学的日益重视，北京科学技术出版社应国内外研究者对武学典籍的迫切需求，于 2015 年决策组建了“人文·武术图书事业部”，而该部成立伊始的主要任务之一，就是编纂出版“武学名家典籍”系列丛书。

入选本套丛书的作者，基本界定为民国以降的武术技击家、武术理论家及武术活动家，而之所以会有这个界定，是因为民国时期的武术，在中国武术的发展史上占据着重要的位置。在这个时期，中、西文化日渐交流与融合，传统武术从形式到内容，从理论到实践，都发生了巨大的变化，这种变化，深刻干预了近现代中国武术的走向。

这一时期，在各自领域“独成一家”的许多武术人，之所以被称为“名人”，是因为他们的武学思想及实践，对当时及现世武术的影响深远，甚至成为近一百年来武学研究者辨识方向的坐标。这些人的“名”，名在有武术的真才实学，名在对后世武术传承永不磨灭的贡献。他们的各种武学著作堪称为“名著”，是中华传统武学文化极其珍贵的经典史料，具有很高的文物价值、史料价值和学术价值。

首批推出的“武学名家典籍”丛书第一辑，将以当世最有影响力的太极拳为主要内容，收入了著名杨式太极拳家杨澄甫先生的《太极拳使用法》《太极拳体用全书》；一代武学大家孙禄堂先生的《形意拳学》《八卦拳学》《太极拳学》《八卦剑学》《拳意述真》；武学教育家陈微明先生的《太极拳术》《太极剑》《太极答问》。民国时期的太极拳著作，在整个太极拳发展史上占有举足轻重的地位。当时的太极拳著作，正处在从传统的手抄本形式向现代著作出版形式完成过渡的时期；同时也是传统太极拳向现代太极拳过渡的关键时期。这一历史时期的太极拳著作，不仅忠实地记载了太极拳架的衍变和最终定型，而且还构建了较为完备的太极拳技术和理论体系，而孙禄堂先生的武学著作及体现的武学理念，特别是他首先提出的“拳与道合”思想，更是使中国武学产生了质的升华。

这些名著及其作者，在当时那个年代已具有广泛的影响力，而时隔近百年之后，它们对于现阶段的拳学研究依然具有指导作用，依然被太极拳研究者、爱好者奉为宗师，奉为经典。对其多方位、多层面地系统研究，是我们今天深入认识传统武学价值，更好地继承、发展、弘扬民族文化的一项重要内容。

本丛书由国内外著名专家或原书作者的后人以规范的要求对原文进行点校、注释和导读，梳理过程中尊重大师原作，力求经得起广大读者的推敲和时间的考验，再现经典。

“武学名家典籍”丛书，将是一个展现名家、研究名家的平台，我们希望，随着本丛书第一辑、第二辑、第三辑……的陆续出版，中国近现代武术的整体风貌，会逐渐展现在每一位读者的面前；我们更希望，每一位读者，把您心仪的武术家推荐给我们，把您知道的武学典籍介绍给我们，把您研读诠释这些武术家及其武学典籍的心得体会告诉我们。我们相信，“武学名家典籍”丛书这个平台，在广大武学爱好者、研究者和我们这些出版人的共同努力下，会越办越好。

导读

陈微明（1881—1958 年），原名曾德，字慎先。读《离骚》，慕屈原（名正则，字灵均）之为人，易名曾则，改字天均。湖北浠水人，出生在北京一个累世为儒的家庭。

他的曾祖父陈沆（1785—1826 年），原名学濂，字太初，号秋舫，嘉庆二十四年己卯恩科（1819 年）状元，授翰林院修撰，出任四川道监察御史，还担任过广东省大主考，礼部会试考官等。秋舫先生“以诗文雄海内”，与魏源、龚自珍、包世臣等友善，交往甚密。祖父陈廷经（1804—1877 年），字执夫，号小舫。从小随父在京城时，师从魏源（1794—1857 年）课读，通经世大略，道光二十四年（1844 年）甲辰科进士。早年淡于仕进，乐江南山水，徜徉木渎之间，五十始入都，供职擢御史，官至内阁侍读学士，为人耿直，抨弹不避权贵，所劾去者有四督、五抚、六藩司。曾上书具陈边疆各省制外夷之法，弹劾太监安德海奸佞骄横。屡疏荐曾国藩、胡林翼、左宗棠诸人，才可大受。上书设立同文馆、建江南造船厂等。晚年日课金刚经，精易数，感异梦，悟前身事，遂自号梦迦叶居士。父亲陈恩浦

(1858—1922 年)，字子青，以国学生捐得中书科中书之职。母亲周保珊（1854—1924 年)，字佩云，系前漕运总督周恒祺家的千金。

微明先生，2 岁时随家人回武昌生活。21 岁时，与仲兄陈曾寿、三弟陈曾矩同举湖北乡试孝廉。24 岁，发妻范氏难产离世，同年，科举废止。1911 年，辛亥革命爆发，举家从武昌迁移上海，后又蛰居杭州，漂泊于北京、杭州、上海之间，颠沛流离，国变家难，历经生活的种种磨砺，他的人生轨迹也由此发生了巨大的改变。仿佛一夜之间，微明先生发现二十来年的奋发激励，慷慨有为，统统被时代的洪流荡涤殆尽，他的心思一下子变得虚空宁寂，他不想再向前去往哪里，也不知道哪里才是他应该去的地方；他觉得自己已经在这人世间来来往往走了好几遍，却并不知道哪里才是自己最后的归宿。庄子的“寥已吾志，无往焉而不知其所至，去而来而不知其所止，吾已往来焉而不知其所终”句，“不知其所至”“不知其所止”“不知其所终”，三个不知，三个疑问，彻底地让他反思自己以往的人生之路，也由此深深触动了微明先生的灵魂，从此他以“寥志”为号，内心也开始由儒学而逐渐转入了老庄之道。

他曾在杭州求是书院，担任过舆地学教授，在北京京师五城学堂教过《左传》，去优级师范学校教过国文诸子学。他还担任过清史馆编修，在严复家做过家教，也在胡雪岩的侄儿胡藻青家做过家教。后来遇到完县孙禄堂先生，学得形意拳、八卦掌，遇到永年杨澄甫先生，学得太极拳。从此，太极拳开始真正改变他的一生。后来，他取《老子》“将欲歙之，必故张之，将欲弱之，必故强之”句，以“微明”自号，鬻拳江湖，取《老子》“专气致柔”之意，于 1925 年在沪上创立“致柔拳社”。从此，微明先生以文入武，以武入道，乃至最终走上性命之学的践行之路。

致柔拳社创立以来，社员从十几人、数十人，发展到数百人、数千人；拳社地址，也随着拳社规模的扩充，从原先的福煦路民厚里六百零八号，迁入李诵清堂路二百二十五号，再迁址至七浦路二百八十八号，乃至最后长期租借西藏路四百八十号宁波旅沪同乡会，各类专项培训班、分社也应运而生。譬如山西路二二五号及西武昌路十四号，开设的女子体育师范班、苏州大郎桥巷二十六号陆宅开设的致柔拳社苏州分社、愚园路十六号的女子国术社、莫干山菜根香饭店后所设立的致柔拳社莫干山分社、致柔拳社广州分社等等，前后师从他学拳的人不下万人。沪上工商界、文艺界精英、党国政要，乃至市井商贾、负贩狗屠，汇聚在他的拳社，“自贵人达官、文儒武士、工商百业、僧道九流、舆台厮卒、中外国之士女从之游者，无虑数千人”，“陈微明”三字，几乎成了沪上、乃至大江南北喜好太极拳者所心仪之名号，“致柔拳社”的招牌也成为他们所神往的圣殿。吴志青《太极正宗》一书盛赞微明先生：“广事授徒，大有孔门之盛况，并著《太极拳术》一书风行全国。盖此时代，可谓太极拳之黄金时代也。”孙禄堂先生在沪上，曾公开对武术界各派人士说，倘若不是陈微明创立致柔拳社，提倡武术，怎么可能有而今这样发达的局面呢，“吾人皆应感激微明之意也”。陈微明先生与他的致柔拳社，为民国年间开太极拳之盛，厥功至伟。

分别刊行于1925年、1928年、1929年的《太极拳术》《太极剑》《太极答问》三书，是微明先生总结拳学理论以及教学经验而编著的教材。在微明先生看来，内家拳，术技也，而源于道，“明乎道者，其学易而功深，非鲁莽躁急者，所能强为也”，尤其是此太极拳三册专著，阐明“专气致柔”之旨，动静交修之法，书成风行，一版再版，洛阳纸贵，成为当时太极拳界经典的拳学著作。

《太极拳术》，由郑孝胥题签书名。版权页署：著者陈微明，发行者致柔拳社，印刷者为中华书局。代售处为：大马路华德钟表行、棋盘街启新书店及各大书坊。版权页不署版次，所以无从确知初版的年月以及再版的版数。孙绍濂序言称：“先生蓄道德，能文章，曾任清史馆纂修，以杨先生口授之太极拳，笔述成书，多所阐发，稿赠杨先生以酬答之。杨先生藏之数年，不以付梓。余与秦君光昭、王君鼎元、岑君希天闻之，请先生怂恿出之，以传于世。先生书往，杨先生欣然寄稿，并图五十余幅”。由此看见，此书应该是微明先生在北京，向杨澄甫老师学拳时所编著，原本是为报答杨澄甫授拳之恩，而将书稿赠予杨澄甫老师的。后来一方面因为杨澄甫老师得此稿后，也没有出版的计划，另一方面，微明先生在沪上开设致柔拳社之后，学员也急需教材，孙绍濂与秦光昭、王鼎元、岑希天等早期的学员，就“请先生怂恿出之”。于是微明先生写信给杨澄甫后，杨澄甫老师便将书稿寄了回来，并且还附上了杨澄甫老师五十余幅中年拳照。由此可知“乙丑六月”（1925 年 6 月），应该是微明先生收到杨澄甫老师书稿的时间。

1925 年 10 月 3 日，《申报》刊陈志进先生撰稿的新书出版预告，云：“太极拳术，为却病延年最无流弊之运动，自广平杨露禅先生至京师传授弟子，学者渐多。然中国武术传授之际，师徒之分极严，心有不明，不敢问也。必须为师者高兴之时，为弟子说其大意。杨少侯尝言，往往年余只能见其伯父班侯练习拳架一次，实难以揣摩。故杨氏所授之弟子，派衍流传，其拳架又微有出入，盖已不能得其正确之姿势也。惟健侯幼子澄甫，因钟爱，故极用心教授之。故欲学太极拳之正确姿势，当以澄甫之拳架为准。以其开展中正，处处动腰，无微不到也。陈微明君从学于澄甫先生，精研者七八载。而近世风气与前大不相同。往时学拳者，多属不字之辈。只知下苦功，不知用脑力。太极拳精微奥妙，非用脑力，不能得其深意。微明君以文人，注意于此，澄甫又加以青眼。问省既格外详细，传者自不能不悉心指导。微明遂将澄甫先生口授之太极拳术，笔之于书。又请澄甫亲自摄影，其缺者，微明又补照之，又与余合摄推手之图，共六十余幅，加以说明，至详且尽。又将王宗岳《太极拳论》，详加注释，微妙之理，发衅无余。现付中华书局刷印，不日即可出版。余知此书之出，拳术界当放一大光明也，特不惮烦，介绍于世之好武术者。”

1925 年 10 月 19 日，《申报》接杭州中华书局来函，发布“武当嫡派《太极拳术》出版”的书讯，称：“此书乃广平杨澄甫口授，鄂陈微明笔述，内有钢版图式六十余幅，加以说明，至精至详。后附王岳宗《太极拳论》，微明君注释，微妙之理，发挥无余。前有冯蒿庵、朱古微、王病山、陈散原诸名人题词，诚内家拳术最有价值之书也。实价八角。总发行处：西摩路北致柔拳社。分售处：北京路佛经流通处、棋盘街中华书局及各大书坊。”由此可证，初版时间为 1925 年 10 月 3 日至 10 月 19 日间，初版的书价为大洋八角。

此次校释，就太极拳动作描述部分，只是纠正了动作与照片不符处，另外对于文字描述容易误读、误解处，稍加注释说明，其他一依原著。读者倘若想进一步研讨杨澄甫老师的拳势变化，可以将此本与许禹生的《太极拳势图解》和杨澄甫的《太极拳使用法》两书，相互参阅。后附王岳宗《太极拳论》，微明先生的注释，由于语境的变化，便于现今的阅读习惯，二水适当添加了自己的一些拳学体悟。后辈如我等，无缘得窥微明先生丰姿，无缘秉受微明先生亲炙，“貂不足，狗尾续”，在所难免焉。微明先生以为，太极拳的拳技原理，契合老子《道德经》的精髓，所以，他将老子《道德经》中与太极拳拳技原理相吻合的经典论说，逐一摘录，并以太极拳的讲论予以微显阐幽，名之为《太极合老说》。二水参合自身的拳学体悟，略作诠释，读者谅不以续貂为唐突也。

《太极剑》，由郑孝胥题签书名，李景林题写“剑光凌云”，吴江钱崇威、泾县胡韫玉、求物治斋主人黄太玄作序。后附太极长拳及太极拳名人轶事。另有陈志进著“太极拳与各种运动之比较”“太极拳之品格功用”两文。此书版权页署：著者陈微明，发行者致柔拳社，印刷者中华书局。代售处为：中华书局及各大书坊。

此书出版后，微明先生弟子严履彬，曾遵师嘱，对《太极剑》数势，都有补正。1959年10月微明先生弟子梁溪荣如鹤先生，从严履彬赠贻同学张海东的抄本中，抄录后，赠贻李祖定。李祖定系微明先生女婿，他与微明先生女儿陈邦琴夫妇两人，曾从家师慰苍先生学习太极拳，复将此补正稿，抄赠家师。此次校释，将严履彬补正的数势一一予以补入。另外纠正了胡朴安先生序言中所引颜习斋“折竹为剑舞”事。并将《考工记》《典论·自序》《颜习斋先生年谱》《颜习斋先生传》等相关资料一一补入，以供谈助。微明先生曾得李景林武当对剑之法相授，他曾希望等待他“习之精熟，再述为书，以饷世人”，可惜哲人已逝，斯技亦已空谷幽兰。此次校释，二水以武当对手剑中“击、崩、点、刺、抽、带、提、格、劈、截、洗、压、搅”十三势，以释解微明先生剑势中相应的式势，虽未能一酬其幽兰之芬芳，亦合掌作拍，以期空谷之回响也。

《太极答问》，由微明先生自己题签书名。版权页署：著者陈微明，发行者致柔拳社，印刷者中华书局。代售处为：棋盘街启新书店、大马路华德钟表行、各大书坊。版权页也无版次印数。李景林题写“剖析毫芒”，褚民谊题写“柔能克刚”，微明先生自序。内容以问答形式，分作“太极拳源流之补遗及小说之辩正”“太极拳之姿式”“太极拳之推手”“太极拳之散手”“太极拳之劲”“太极拳之导引及静坐法”“学太极拳者之体格及成就”“太极拳之效益”“太极拳之单式练法”等几大类，就初学者相关问题，逐一加以详细解答。尤其是“太极拳之推手”一节，微明先生首次简要地为“听劲”下了一个定义：“知觉对方用力之方向、长短，谓之听劲”。从此“听劲”一词，成为太极拳推手训练中，最为经典的理论。后附“致柔拳社简章”“致柔拳社出外教授简章”“致柔拳社三年毕业课程”，实系研究致柔拳社重要的文献资料。

1929 年 10 月 31 日，《申报》刊发此书广告：“致柔拳社社长陈微明君，近著《太极答问》一书，对于太极拳精妙之意，阐发无遗。其目录分为源流、事实、姿势、推手、散手、导引、静坐、练太极拳者之体格、效益、单式练法、多种单式练法，专为远方不能入社者而作，为全国人普及练习，无师而可以明了，实具绝对之热心。闻此书业已付印，不久即可出版云。”由此可证初版应该在 1929 年 11 月间。而从此书六届毕业生名录可证，此本系 1935 年 11 月刊行的第四版。1935 年 11 月 14 日《申报》载：“陈微明著《太极拳术》《太极答问》《太极剑》等书，出版以来，风行全国。现又四版出书。《太极拳术》增图百数十幅，与电影无异，为学太极拳者最好之模范。《太极答问》，内分姿势、推手、散手、论劲、静坐等目，于太极拳之精微，阐发无遗，欲深造者，不可不看。并有单式练法，可以无师自习。《太极剑》附有名人轶事，最饶兴趣。默新书局、千顷堂、中华照相馆，及致柔拳社有寄售。”

此次校释，补充了雍正曹秉仁纂修《宁波府志》、黄宗羲《南雷文定集》之王征南墓志铭、黄百家《学箕初稿》中的《王征南先生传》《三丰全书》拳技派、《太极功源流支派论》中的许宣平、夫子李、程灵洗、宋仲殊等资料，以及《侠义英雄传》所载杨班侯事，以助谈资。涉及太极拳技、推手等答问，二水也参合自身的体悟，多有阐发。并将后附之“致柔拳社社员姓名录”、“出外教授姓名录”、第一届至第六届毕业生姓名、“苏州分社社员姓名实录”“广州分社姓名录”“广州公安局”“广州总司令部”等之名录中，姓名稽考者，一一加以补注，对于研究致柔拳社历史，实系不可或缺的资料。

微明先生自创立致柔拳社以来，教学相长，在传授拳艺的同时，他也深受致柔拳社社员，诸如关絅之、江味农、谢泗亭、沈星叔、赵云韶、释常惺、陈元白、赵炎午、欧阳正明、持松等沪上佛学居士、高僧大德的耳闻目染，微明先生由此开始接触佛学。他先后与金山活佛妙善法师、白普仁喇嘛结缘，1937 年逢能海上师来沪上设金刚道场，微明先生“受戒因缘到”，由此而皈依佛学。赵朴初先生也在微明先生的致柔拳社与佛学结缘，并且结识了微明先生的侄女陈邦织，两人缘结并蒂，牵手走完一生。

微明先生于学，无所不窥，自小学经史诸子，百家之言，旁及内典道藏，天文舆地历算，法帖图画之书，无不穷究。他喜好古文辞，出入周秦两汉唐宋诸大家，辅加他醇厚的德性，超远的襟怀，他的文辞，感人至深。所著《清宫二年纪》《慈禧外纪》《欧洲战纪初编》《欧洲战纪二编》《文体讲义》《训诂讲义》《音韵讲义》等书，皆风靡一时。定居沪上后，又相继出版《海云楼文集》《御诗楼续稿》《双桐一桂轩续稿》，多收抒发哀慕之思、师友亲情之作，其时国学大家，诸如番禺梁节庵、桐城马通伯、义宁陈散原、嘉兴沈寐叟等先生，对其至情至性之作，多加赞许。

早年的国变家难，让微明先生由儒学而转入老庄之道。晚年的生活阅历，又让微明先生由老庄而醉心佛学。1958 年 9 月 2 日（农历七月十九），微明先生走完了他的性命践行之路，在上海永嘉路寓所安详示寂，满屋檀香，经日不散。诚如杨氏太极拳老拳论三十二目之《口授张三丰老师之言》所云："予知三教归一之理，皆性命学也。皆以心为身之主也。保全心身，永有精气神也。"微明先生出入于三教，而究竟于太极。文修于内，武修于外，由文而入武，由武而入于道，文思安安，武备动动，允文允武，最终"尽性立命，穷神达化"，为后世学者探索了一条性命之学的践行之路。

太極劍

附太極長拳

孝胥

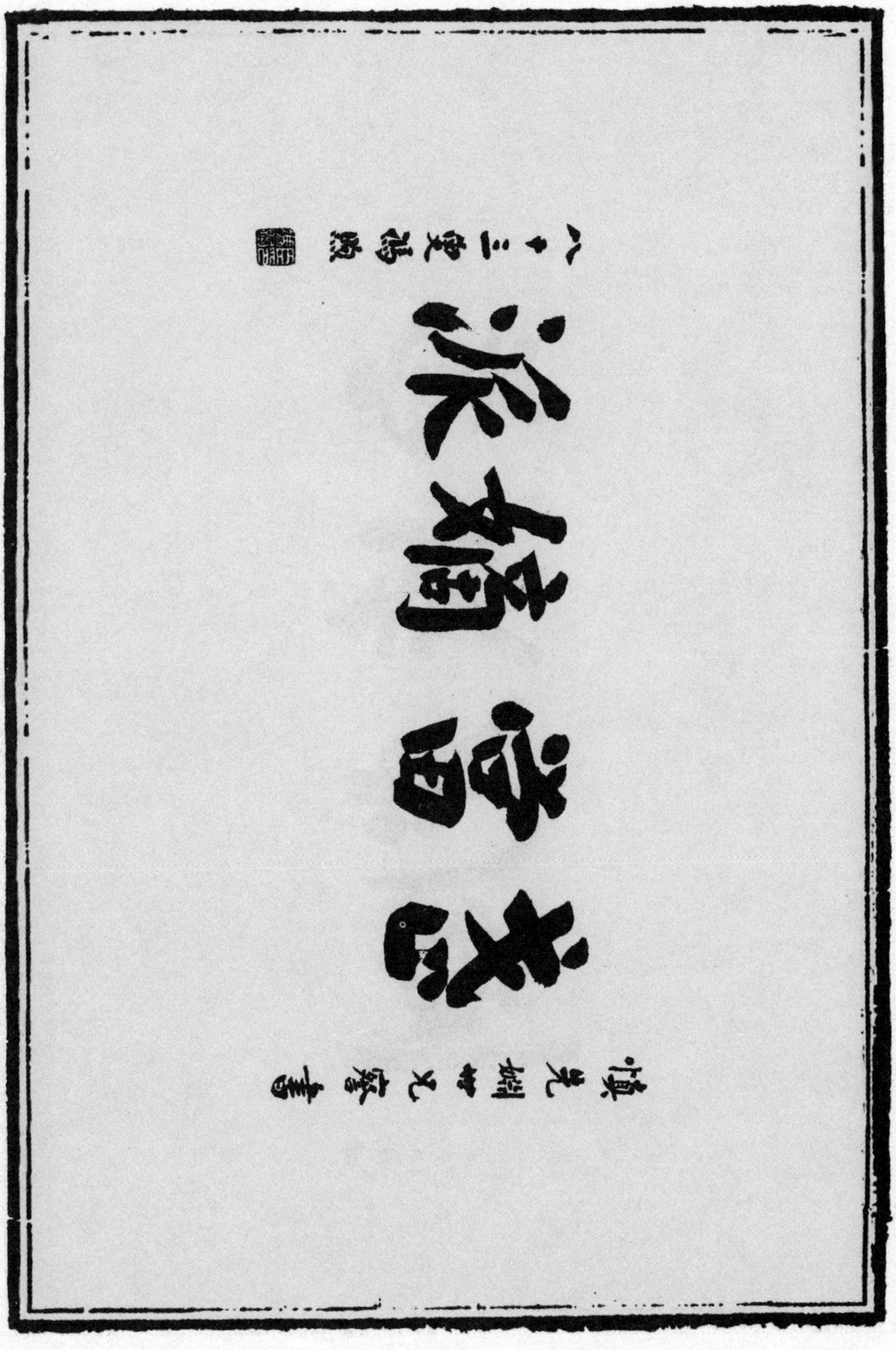

微明先生正

劍光凌雲

戊辰年仲春
李景林

楊健侯先生遺像

楊澄甫先生

著者陈微明

丙寅四月初九日致柔拳社公祝張三丰祖師壽誕攝影

序

余弱不好弄長躭靜默武術諸書素未問津間於稠人廣坐遇一二魁梧其形精悍其色者識之爲有拳術者而已戊午後久客滬瀆凡值武術運動開會傾動士女余亦未嘗一往乙丑歲閱報紙見有浠川陳微明君來設致柔拳社教授太極拳術一寓目亦忘之矣丙寅春季偶過西武昌路覩門首榜揭致柔分社因憶及姑入觀焉登樓見一長髯者與一道士裝者相對立以手互相縈繞初不知爲太極拳中之推手以爲二人戲耳復見三數人演各種姿勢其動作舒而徐若惟恐用力者然且其舉步輕著地無聲心頗異之旋見一面白而儒雅者入就旁榻坐觀諸人久徐起矯正其姿勢就詢知爲社長陳微明君余更訝焉蓋余意中社長必魁梧其形精悍其色甯爲一意態閒逸之書生姑購所著太極拳術一册歸漏三下讀之竟始悉太極拳之源流及功用并悉君爲壬寅同年是歲與其兄若弟同捷者一門三魁傳爲佳話余慨念君之曾祖秋舫先生以第一人及第才名冠

世自嘉道迄同光殆無人不讀簡學齋詩者先德子青年丈宿學潛德士林矜式太夫人周工書法雄偉渾厚懾服士大夫是固代以文學顯君今乃能積健爲雄發揚內家奧旨以拳術鳴海上於是心怦然動翌日造廬請謁次月遂入社不以人事而輟不以風雨而阻迄將兩年雖年事既長進境如登太行然亦自謂微有所得故好之愈篤中間先生更授以太極劍懼拳劍之不及兼顧也甫半而請止今先生復著太極劍術一書成堅索一言夫以未學劍之人欲論列劍術之奧旨自無能爲役聊述余入社之巔末如此雖然余女余姪及余孫均從先生兼習拳劍則余學劍之志寧敢忘哉自今請賡續學劍且以太極拳之精微期以十年或有小成之可言今社中姑定三年爲一段落殆不過如孩童之畢業於幼稚院耳明年余六十矣乃爲幼稚院畢業之期屆時初度之辰先生倘以同年之誼而辱臨貺者余將率女孫輩執劍起舞於筵前還以一觥壽先生也并書之以爲息壤

歲在戊辰春仲吳江錢崇威

太極劍序

劍術甚古自昔文人學士皆習之魏志稱文帝爲太子時與鄧展飲酣論及劍術不決時方食甘蔗因以習之下殿數交三中其臂戴子高顏習齋先生傳商水李子青者大俠也館先生見先生攜短劍目曰君善此乎先生謝不敏子青因請與試先生乃折竹爲劍舞相擊數合中子青腕觀此比劍專中腕臂與太極劍之用合顧其法皆不傳世之能劍者大抵皆舞劍之類如風捲如電馳如鳥落如龍翔容觀雖美未必適於用也吾師蘄水微明陳先生以儒者而精太極拳所著太極拳一書流行甚廣太極拳者由外家翻之靜中求動柔以克剛所謂內家拳是也太極劍即本太極拳之意思用之於劍蓋劍之爲用盡於一擊一刺左右前後上下進退皆擊之事皆刺之事也擊之事有正有反刺之事有衛有剪外家劍如是內家劍亦如是惟外家劍之擊刺恒動內家劍之動於靜求之守如處女出如脫兎後人發先人致也外家劍之擊刺恒剛內家劍之剛以柔濟之因勢變化莫可

端倪當之則決按之仍虛也故太極劍之用不在於能擊能刺在於擊而不擊刺而不刺而其妙處則不擊而擊不刺而刺馴至於我不必擊人也人之擊我卽爲人之自擊我不必刺人也人之刺我卽爲人之自刺忘人忘我忘手忘劍運用於無心然後可以直之無前舉之無上按之無下運之無旁藏於九地之下動於九天之上順自然之極致莫能與之爭鋒韞玉幼讀儒書慕顏習齋之爲人略習武術乏明師指導毫無家法十五年從先生遊循循善誘得稍知內家之門徑顧年已及艾筋骨漸僵僅心能知之口能言之而已茲先生太極劍成書命韞玉序之因謹述如上不能必知言之果無誤也

民國十七年一月受業涇縣胡韞玉樸安謹書

太極劍術序

微明先生既作太極拳術行於世世之人讀其書以求其術而獲却病延年者遍海內近復著太極劍術一書屆稿竟轉由湯子悟庵索序於予予於劍術誠門外漢顧能通其意蓋予固服膺三丰祖師之道者也晚近羽流徒襲形貌自歸淘汰而不知眞道所在與儒佛同源別有神妙不可思議之理卓然特立於天地間不求顯亦不求競知者自知不知者不强知一任緣法離合爲眞理之推移太極劍術其一端也太極劍術與太極拳術皆爲武當嫡派故太極劍術之步法手法略如太極拳之法不過一徒手一用劍耳其法虛靈超脫綿綿不斷凝神歛氣歸於自然與外家劍術迥乎不同洵非眞仙之遺傳不能臻斯神境也予嘗箋三丰全集至無根樹丹訣諸篇覺其玄微精奧神鬼爭啼眞有如說此法天龍八部羣相驚疑之旨而祖師之苦口婆心雖千萬世昭然若揭也惜乎衆生假擾業因山積亡羊歧路予欲無言苟能本此册以尋端緒則豈特可藉國技以强種抑亦可返

眞道以救國先生之功誠偉矣哉戊辰春求物治齋主人黃太玄序

太極劍序

易曰苟非其人道不虛行此言傳道之難其人也雖技藝亦然黃百家內家拳法言五不可傳心險者居其首余游京師聞廣平楊氏精太極拳心慕之問之與楊氏稔者皆言楊氏不肯傳人而楊氏之徒言亦若是豈不異哉及遇楊澄甫先生從之學始知楊氏非不傳人也嗟夫以得楊氏之傳食其技者乃誣其師門造種種不實之事聞之者即據以作爲筆記小說其居心非百家所謂不可傳者耶楊澄甫先生傳余太極拳劍拳術已付梓流行今復將劍術筆述成書公之於世此亦澄甫先生之志也太極劍之姿勢均以拳之姿勢爲基礎其非太極拳之姿勢亦有名爲太極劍者則余不敢知已前聞李芳宸將軍精劍術得異人之傳授孫祿堂先生嘗稱之今年將軍過滬往見焉將軍爲人特俊爽慨然以二人比劍之法相授觀其意全運用腰腿與太極拳之推手聽勁無異惟有時劍不粘連相離半寸許耳眞武當太極劍法也澄甫先生所傳無二人相比之定法得此則太極

劍之體用備矣俟習之精熟再述爲書以餉世人丁卯冬十二月陳微明識

太極劍目錄

太極劍起勢　三環套月　大魁星　燕子抄水　左右攔掃　小魁星　燕子入巢　靈猫捕鼠　蜻蜓點水　黄蜂入洞　鳳凰雙展翅　左旋風　小魁星　右旋風　等魚式　撥草尋蛇　懷中抱月　宿鳥投林　烏龍擺尾　風捲荷葉　獅子搖頭　虎抱頭　野馬跳澗　翻身勒馬　上步指南針　迎風拂塵　順水推舟　流星趕月　天馬行空　挑簾式　左右車輪劍　大鵬單展翅　海底撈月　懷中抱月　夜义探海　犀牛望月　射燕式　白猿獻果　鳳凰雙展翅　左右跨攔　射雁式　白猿獻果　左右落花　玉女穿梭　白虎搖尾　虎抱頭　鯉魚跳龍門　烏龍絞柱　仙人指路　風掃梅花　虎抱頭　指南針　抱劍歸原

太極劍

太極劍起勢

左手執劍。拇指中指無名指小指。握劍雲頭。食指下垂。貼劍柄。劍平面貼臂後面。劍尖朝上。右手下垂。身正立。向南。如太極拳初起勢。如第一圖。

第一圖

三環套月

右手捏劍訣。食中二指並直。無名指小指屈於掌心。拇指屈按無名指頭節處。如太極拳之摟膝拗步。腰往下鬆。右手隨腰往後圓轉而上。轉由右耳邊指出。

第二圖

左手握劍。同時隨腰而上。由胸前往右。轉至左膝處。劍仍貼臂向後。左足同時往東邁一大步。腰隨手前進。左腿坐實。如第二圖。

左手握劍。直穿至右手上。右足同時前邁一小步。足尖點地。仍坐右腿。此式如

第三圖

第四圖

太極拳之上步七星。如第三圖。

兩手同時兩邊分開。轉一圓規。復合於前面。左足同時前邁一大步。坐實。此式如太極拳之雙風貫耳。如第四圖。

大魁星

右手與左手相合。隨卽將劍轉換於右

手。右手執劍。直面（劍刃向上下謂之直面）往下往後轉一大圓規。左手隨捏劍訣隨右手在裏。同時轉一大圓規。眼神看劍尖。隨劍轉動。右手不停往後往上。將劍轉至頭上。仍是直面。劍尖向東。劍要極平。左手捏劍訣轉至前面。兩指向上。坐實右腿。左腿提起。足尖向下。眼神亦轉向東看。此式如太極拳之金鷄獨立。如第五圖。

第五圖

燕子抄水

右手執劍。直面往西南砍去。隨轉向下。愈低愈好。掃地而起。轉爲平面。（劍刃向左右謂之平面）劍尖向東南。畧朝上。眼神與腰亦隨之而轉。左手捏劍訣在裏。隨右手而轉至額上。左足同時向東北邁出。坐實步之距離。與太極拳之玉女穿梭相同如第六圖。

右攔掃

右手執劍。往上往北斜面轉動。又向下轉。轉爲平面。至與左肩平時。隨往東南平砍。劍仍平面。劍尖向東北。左手揑劍訣。隨右手轉動。距右手腕二三寸許。右足同時向東南邁出。坐實。眼神與腰。亦隨劍轉動。此式如太極拳之玉女穿梭。如第七圖。

第七圖

第六圖

左攔掃

右手執劍。往南平面轉動。又畧向下轉。

仍爲平面轉至與右肩平時。隨往東北平砍。劍仍平面。尖向東南。左手揑劍訣。隨右手轉動。距腕二三寸許。左足同時向東北邁出。坐實。眼神與腰。亦隨劍轉動。此式如太極拳之玉女穿梭。如第八圖。左右攔掃。或二次或四次均可。

第八圖

小魁星

右手執劍。由平面轉爲直面。往上往北。又往下轉動。右足往東南邁。足尖向南。坐實右足。左足

第九圖

亦往東南邁出足尖點地。右手提劍不停。由下而起。轉至頭上。劍仍直面。劍尖斜向下。亦向東南。左手揑劍訣。同時隨右手轉動。兩指向上。與大魁星同。如第九圖。

燕子入巢

右手執劍。往下往後圓轉。右足用足尖。亦隨之往後轉。向西北。左足斜向西北前邁坐實。左手在裏。隨右手轉至後面時。即放開。托右手背。兩手托劍。往西北平面刺出。此式如太極拳之指膛錘。如第十圖。

第十圖

靈猫捕鼠蜻蜓點水

兩手托劍回收。右足提起。足尖斜向下。如第十一圖。旋即踢出。極力向西北邁去。左足騰起向前一點。右足又往前一躍。右手之劍。同時向西北平面刺去。左手揑劍訣。轉至額上右足坐實。如第十二圖。右手之劍刺出後。又畧收回向前一點。此之謂蜻蜓點水。此式如太極長拳之右扇通臂。

第十一圖

第十二圖

黃蜂入洞

右足跟轉動。使足尖向南。右手執劍。隨腰轉向北。眼轉向西北看。左手屈抱右足又用足尖旋轉一周。左足提起。亦旋轉一周。復往西北邁去。右手與左手同時隨身旋轉一周。左手仍放開。托右手背。兩手托劍。往西北平面刺出。坐實左腿。參觀第九圖。

鳳凰雙展翅

第十三圖

左手放開。轉至右手腕上相合。左手揑劍訣。手心向下。左足跟向北轉。右手與左手分開。右手之劍平面向東南削去在上左手向西北分開在下。左手心向下。右手心向上。右足亦向東南邁去坐實。此式如太極拳之斜飛式。如第十三圖。

左旋風小魁星

右手執劍。由平面轉爲直面。往上往西北。又往下。隨腰轉動。坐實左腿。右足提起落下。足尖向南。坐實右足。左足往東南邁出。足尖點地。右手提劍不停。由下而起。轉至頭上。劍仍直面。劍尖斜向下。亦向東南。左手揑劍訣。同時隨右手轉動。兩指向上。參觀第八圖。

第十四圖

右旋風等魚式

右手執劍。劍直面往下往後圓轉。左足往後退一步。右手之劍。往後又轉上。又轉向東南。劍仍直面。左手同時隨右手轉回。揑劍訣。離右手二寸許。右足同時退後一步。足尖點地。亦向東南。如第十四圖。

撥草尋蛇

右手執劍。由直面隨腰往左略轉。漸變平面。又向右轉回。往南砍去。劍仍平面。劍尖向東。劍與手平。眼神與腰。亦隨之而轉。左手揑劍訣。隨右手轉動。距右手腕二三寸許。右足同時向東南邁出坐實。眼神與腰。亦隨劍轉動。此式如右攔掃。惟劍低平。劍尖向東。略不同耳。參觀第七圖。

右手執劍往右畧轉。又往左轉回。劍仍平面往北砍去。劍尖向東。劍與手平。眼神與腰。亦隨之而轉。左手揑劍訣。隨右手轉動。距右手腕二三寸許。左手同時向東北邁出坐實。眼神與腰。亦隨劍轉動。此式如左攔掃。參觀第八圖。

撥草尋蛇。可作三次或五次。

懷中抱月

第十五圖

撥草尋蛇三次或五次。轉至右面時。左足向後（卽向西）退一步。右手之劍。往懷中裏回。使手背向上者。變爲手心向上。身隨劍收回之勢。坐實左腿。向下略低。右手執劍。近左脇處。劍平面。離身四寸許。劍尖向東。左手揑劍訣。亦隨右手收回。略在右手之上。眼神向東。如第十五圖。

宿鳥投林

第十六圖

左足往前邁一步。（卽向東）身隨右足提起。右手執劍往上刺去。（亦向東）左手亦隨右手向上。相距二寸許。左足提起。膝向西北。足心貼右腿。足尖向下。眼神隨劍尖往上看。如第十六圖。

烏龍擺尾

左足往後退一步。（卽向西退）身隨左足坐下。右手隨左足提回。如等魚式。足尖點地。向東南。右手之劍抽回。由平面而變爲直面。抽至右膝後。劍尖下垂。亦略向東南。左手揑劍訣。轉至額上。眼神下視劍尖。如第十七圖。

第十八圖

第十七圖

風捲荷葉

右足向西南退半步。右手之劍。隨右步退勢。由直面往外。又向裏裹轉。爲平面。左足隨右足收回。略點一步。右手之劍。裹至脇下時。卽向東北刺去。左足亦同時往東北邁去。左手本在額上。由額上同時往外往下。轉至心口。又往上翻。仍至額上。左右手足。皆同時變動。不可有先後。如第十八圖。

獅子搖頭

第十九圖

左足尖轉向東南。右手之劍。由手心向上。往脇內轉至手心向下。劍尖本向東北者。轉至劍尖向西北。右手之劍。往南往西轉動。右足隨右手轉身。往西北邁去。右手之劍。同時往北砍。劍尖向西。右手心仍向下。身向東北者。此時已轉向正西。左手亦隨右手轉動。捏劍訣。距右手二三寸許。如第十九圖。

右手之劍。手心向下者。往右略轉動。又往左轉回。轉至手心向上。劍仍平面往南砍去。劍尖向西。劍與手平。眼神與腰。亦隨之而轉。左手揑劍訣。隨右手轉動。距右手腕二三寸許。左足同時略向後退半步坐實。此式如太極拳之倒輦猴。惟步略開耳。如第二十圖。

第二十圖

第二十一圖

右手之劍。手心向上者。往左略轉動。又往右轉回。轉至手心向下。劍仍平面往北砍去。劍尖仍向西。劍與手平。眼神與腰。亦隨之轉。左手同前。右足同時向後退一步坐實。此式如太極拳之倒輦猴。如第二十一圖。或退四步或退六步退至右足在後而止。

虎抱頭

右足退後時兩手向左右分開。又向內合。右手心向下者。向內合時。轉至手心向上。右手之劍。轉至胸前。停住。左手在下。托右手背。左足坐實不動。右足提前。足尖點地。身仍向西。如第二十二圖。

第二十二圖

野馬跳澗

兩手托劍回收。右足提起。往西躍刺。與靈猫捕鼠步相同。惟略往高躍耳。刺出時。兩手仍托劍。參觀第十圖。

翻身勒馬

兩手托劍。劍平面往上起。由頭上轉過。身向西者。由右往左轉。使面向東。右足跟轉。坐實右足。左足提回。足尖點地向東。兩手所托之劍。同時由頭上平面落下回收如第二十三圖。

上步指南針

左足向前進一步。右足隨上。與左足並齊。兩手托劍。向前刺出。面仍向東。如第二十四圖。

第二十四圖

第二十三圖

迎風拂塵

右手之劍。向右轉動。腰亦隨轉。又往左轉。回劍平面往北砍去。左足前進。與左右攔掃相同。惟劍略高耳。或三次。或五次。參觀第七第八兩圖。

順水推舟

迎風拂塵。轉至左足在前時。右足往後退一步。左足隨之後退。足尖點地。右手之劍。同時由斜平面而轉爲直面。劍刃往下往後。轉一大圓規。左手揑劍訣。隨右手在裏同時轉一圓規。眼神看劍尖。隨劍轉動。右手不停往後往上。將劍轉至頭上。仍是直面。劍尖略向東北刺去。左足同

第二十五圖

時往東北邁一大步坐實。足尖亦向東北。左手揑劍訣。轉至前面。兩指向上。眼神亦隨劍尖往前看。此式如太極拳之扇通臂。如第二十五圖。

流星趕月

左足跟往南轉。使足尖向東南。右足同時往西北邁去。右手執劍由頭上往西北砍去。左手同時亦分開向東南。如第二十六圖。

第二十六圖

天馬行空

右手執劍。手心向南。由下往北轉上。左足往南邁一步。身即向南。劍同時不停。由後面從頭上

第二十七圖

往南下砍。左手同時與右手相合。以手心扶右手腕上。左足亦同時往南邁一大

步。足尖點地。向南。眼神向南看。如第二十七圖。

挑簾式

右足提起落下。足尖與左足跟相對。成八字形。相離五寸許。使足尖向西北。右手將劍提起至頭上。左手仍扶右手腕。劍尖斜向下。左足同時提起。足尖向下。如第二十八圖。

第二十八圖

左右車輪劍

左足落下。與右足成八字形。使足尖向西南。右手執劍。隨腰往東轉。由下而上。轉一大圓規。眼神隨劍尖轉動。右足同時往西邁一大步。劍由上往西砍去。左手同時與右手兩邊分開。向東。眼神隨劍往西看。此式與流星趕月相同。惟方向不同耳。參觀第二十六圖。

右手執劍。手心向東。由下往東而上。轉一大圓規。右足往西邁一大步。身即向西。劍同時不停。由後面從頭上往西下砍。左手同時與右手相合。以手心扶右手腕上。左足亦同時往西邁一大步。足尖點地。向西。眼神向西看。此式與天馬行空相同。惟方向不同耳。參觀第二十七圖。

大鵬單展翅

第二十九圖

右手執劍。往左略轉。轉至手心向上。左手轉至右手腕上面相合。手心向下。左足跟往北轉。使足尖略向東北。右足往東北邁去。右手之劍由下漸漸而上。往東北平面劖去。左手隨右手轉至胸前。手揑劍訣向北。眼神亦向北看。如第二十九圖。

海底撈月

右手之劍復往右轉。略往下沈。使劍尖朝上。左手捏劍訣。亦隨之轉。在右手肘裏灣。略停。劍由直面往外。又向裏裹轉爲平面。左足提起落下。使足尖向西南。

第三十一圖

第三十圖

右手執劍。裹至脇下時。即向正西刺去。右足同時往西邁去。足尖向西。左手同時轉至額上。參觀第十一圖。

懷中抱月如前法如三十圖

夜义探海

右足往西邁。身隨右足往前。劍往西往

下刺去。左手亦隨右手而下。相離二寸許。左足提起。眼神隨劍尖往下看。如第三十一圖。

犀牛望月

左足往東橫邁一步。左手由下往東往上轉一大圓規。右手之劍。由下提起。由西往東收回。在胸前。劍由平面而轉爲直面。劍尖仍向西。左手同時轉至右手內相合。仍捏劍訣。左腿坐實。眼神仍向西看。此式如太極拳之披身伏虎。如第三十二圖。

第三十二圖

射雁式

右足不動。右手之劍。抽回。抽至右膝後。劍尖向下向東南。左足同時隨右足提回。足尖點地。亦向東南。左手同時提起。在胸前。眼神及左手指。均向東南。如第三十三圖。

白猿獻果

左足向東南前進一步。右足同時前進。與左足並齊。右手之劍。由直面變爲平面。向東南上刺。左手心托右手背。身直立眼神仍向東南。此式與指南針相同。

第三十四圖

第三十三圖

惟劍略高耳。參觀第二十三圖。

鳳凰雙展翅

此式變法如前。惟右步往西北邁。劍由西北削去。兩手分開。參觀第十一圖

左右跨攔

右足往南橫邁一步。左足隨右足。亦往

南橫邁一大步。右手之劍。由西北往南收回。橫在胸前。手心向上。劍仍爲平面。劍尖向北。左手扶右手腕。如第三十四圖。

左足往北橫邁一步。右足隨左足。往北橫邁一大步。右手之劍。往左略轉。隨腰隨步往北轉換。使手心向上者。變爲手心向下。劍尖向北者。變爲劍尖向南。橫在胸前。劍仍平面。左手扶右手腕背。如第三十五圖。

第三十五圖

射雁式向西北。變法如前。

白猿獻果向正西。變法如前。

左右落花

右手之劍由左略轉。右足往後退一步。劍亦隨右足。向北往右砍。手心向上者。變

爲向下。左足復往後退一步。劍亦隨左足向南往左砍。手心復變爲向上。一切均如左右獅子搖頭。惟劍略低耳。參觀第十七十八兩圖。

玉女穿梭白虎攪尾

退至右足在後時。兩手分開如前。將左足提起轉向南邁一大步。兩手旋相合。往南刺去。左手心托右手腕背。如第三十六圖。

右手與左手相合。左手在上。手心向下。右手執劍在下。手心向上。左足跟往西

第三十六圖

轉。足尖向西。右手之劍由南往北。平面側去。轉至北時。劍往上轉。使劍尖向上直立。劍平面向西。左手揑劍訣在胸前。右足略提起往北移半步。足尖向西北。如大鵬單展翅。眼神向西看。

鯉魚跳龍門

兩手復相合。如虎抱頭式。復向西躍去如野馬跳澗。參觀第二十一圖。

烏龍絞柱

右手執劍。由平面向上。漸變爲直面。向上向東。隨腰轉一大圓規。往東砍。左手隨轉至胸前。如第三十七圖。劍不停。由東復轉下。往西撩上。右足提起落下。使足尖向西北。身隨腰轉。劍不停。復由西往上往東砍。如第三十八圖。劍仍不停。轉至中間。復由外向脇裏裹

第三十七圖

第三十八圖

劍變爲平面。左足同時提起往西邁一步。右足隨提起向西邁一大步。劍亦隨右步向西刺去。左手分開提起在額上。劍共轉兩輪。眼神亦隨之而轉。此式刺出如靈猫捕鼠。惟中間轉動不同。參觀第十圖。

仙人指路

左足往東橫邁一步。以後動作。均如犀牛望月。惟右手之劍。由上收回。落在胸前。劍尖向上直立。平面向外。如第三十九圖。

第三十九圖

風掃梅花虎抱頭

右手之劍直立者。復轉爲平面。在左脇下。劍尖略向東。手心向下。左手在上。與右手相合。右足提起落下。使足尖向西北。左足提起往北。復往東轉一大圓規。如太極拳之轉脚擺蓮。轉至面仍向南時。兩手分開。復相合。右足在前點地。如虎抱頭指南針抱劍歸原式。

右足前進。左足隨之前進並立。兩手抱劍前刺。如指南針。右手之劍。交於左手。左手大指食指尖向下。三指尖向上握劍柄。手心向外。劍平面貼臂前直立。左手執劍。將劍轉至後面。如起勢歸原、參觀第一圖。

太極長拳序

澄甫先生傳余太極拳復傳余太極長拳其中有數式爲太極拳內所無者其餘大概相同惟轉換之處前後略變易耳所以表示太極本無定法亦無定形太極拳及長拳掤攦擠按採挒肘七種勁均含在內惟缺一靠勁余欲以大攦之靠加入拳內思索數年不得其連貫轉接之法今於無意中忽然得之相接之處竟如天衣無縫竊自欣喜又以太極拳之有左式而無右式者有右式而無左式者均爲加入又見河南陳家所傳太極名爲舊派者其倒輦猴如摟膝拗步左右退行轉身極爲輕靈亦加入名爲退步摟膝共約一百零八式取澄甫先生所傳長拳而擴大之不敢言有所發明然於太極之意有增多而無減少有變換而無雷同或者可爲學者研究之一助焉丁卯冬月微明識

楊澄甫先生所授太極長拳目錄

攬雀尾　抎手　摟膝拗步　琵琶式　進步搬攔錘　播箕式　十字手　抱虎歸山　單鞭　提手　肘下錘　摟膝打錘　轉身蹬脚　進步指膛錘　野馬分鬃　進步攬雀尾　單鞭　玉女穿梭　攬雀尾　轉身野馬分鬃　轉身單鞭下式　金雞獨立　倒輦猴頭　斜飛式　提手　白鶴晾翅　摟膝拗步

海底珍珠　扇通臂　撇身錘　上步搬攔錘　進步攬雀尾　單鞭　抎手

單鞭　高探馬　左右蹬脚　轉身蹬脚　左右摟膝　雙叉手　轉身踢脚

左打虎式　雙風貫耳　左蹬脚　轉身蹬脚　上步搬攔錘　上步攬雀尾

高探馬　十字腿　上步攬雀尾　單鞭下勢　上步七星　下步跨虎　轉身擺蓮　彎弓射雁　上步搬攔錘　播箕式　十字手　合太極

楊澄甫先生所授太極長拳目錄

增加太極長拳目錄

太極起勢　動步攬雀尾　抎手　摟膝拗步　右琵琶　換步摟膝　左琵琶
換步摟膝　右琵琶　進步搬攔錘　播箕式　雙托掌　十字手　抱虎歸
山　肘下通臂錘　左歸山　肘下錘　猴頂雲　摟膝打錘　轉身蹬脚　進
步指擋錘　野馬分鬃　動步攬雀尾　單鞭　玉女穿梭　轉身野馬分鬃
轉身單鞭下勢　金雞獨立　退步摟膝　斜飛式　提手　白鶴晾翅　摟膝
拗步　海底珍珠　扇通臂　撇身錘　上步搬攔錘　動步攬雀尾　單鞭
抎手　單鞭　高探馬　左右蹬脚　轉身蹬脚　換步摟膝　換步栽錘　雙
叉手　翻身二起脚　披身伏虎式　回身蹬脚　雙風貫耳　右蹬脚　轉身
左蹬脚　換步搬攔錘　如封似閉　進步雙按　右単鞭　右抎手　右單鞭
下勢　金雞獨立　倒輦猴　左斜飛　左提手　左晾翅　左摟膝　海底針
右通臂　撇身錘　進步搬攔錘　播箕式　雙托掌　十字手　左抱虎歸

增加太極長拳目錄

山　右單鞭　野馬分鬃　進步肩靠　玉女穿梭　野馬分鬃　進步肩靠
玉女穿梭　野馬分鬃　進步肩靠　玉女穿梭　野馬分鬃　進步肩靠　玉
女穿梭　左右風輪　動步攬雀尾　單鞭　抎手　高探馬　十字腿　左右
摟膝打錘　左琵琶　彎弓射雁　進步搬攔錘　如封似閉　進步雙按　左
單鞭下勢　七星脚　退步踢脚　轉身擺蓮　彎弓射虎　上步搬攔錘　播
箕式　雙托掌　十字手　合太極

太極長拳

動步攬雀尾

起勢向南如太極拳。惟擺回之時。左足略騰起前進半步。擠出時右足略騰起前進半步。擠後兩手收回時。左足復進半步。按出時右足復進半步。

抎手

按後。兩手隨腰。轉一圓規。如太極拳。惟左手不作單鞭式。而作抎手。抎手共兩次。第二次右手抎至左肩上時。復回下而作摟膝拗步。面向東。

摟膝拗步右琵琶又摟膝拗步。均如太極拳。

換步摟膝

右足略騰起落下。右手與左手隨勢往右收。往下鬆轉一圓規。左足復略騰起落下。左足尖向東北。坐左邊腰。兩手由右邊復轉上。左手由左邊往後轉一大圓規右手摟膝。左手按出。變爲左勢之摟膝拗步。

左琵琶

左足略騰起落下。右足收回。兩手亦同時往回收。右手在前。左手在後。變爲左琵琶式。由左琵琶復變爲左勢之摟膝拗步。

換步摟膝

左足略騰起落下。左手與右手。隨勢往左收。往下鬆轉一圓規。右足復畧騰起落下。右足尖向東南。坐右邊。腰兩手由右邊復轉上。右手由右邊往後轉一大圓規。左手摟膝。右手按出。復變爲右勢之摟膝拗步。由拗步復變爲右琵琶式。進步搬攔錘。與太極拳無異。

播箕式

與如封似閉相同。惟兩手按出時。手心平向下。

雙托掌

右足略騰起。前進半步。兩手左右分開。轉一大圓規。轉至兩脇下。左足復騰起前進半步。兩手轉至脇下時。兩手心漸轉向上。復向前托出。由雙托掌變爲十字手。如太極拳同。

抱虎歸山

由十字手。變抱虎歸山。亦與太極拳同。惟擺回擠出。兩步仍騰起。前進半步。擠出後。不再按。左手仍靠右手往前轉一小圓規。腰亦隨動。隨即變爲肘下錘。與太極拳轉動皆相同。

肘下通臂錘

由肘下錘。右手不斷往上起。至額前。右拳隨右足往前打出。其勢如扇通臂。惟右足在前耳。

左歸山

右掌鬆開往上轉。右足尖亦轉向東南。左足往東北邁去。右手由耳邊按出。左手收回在左脇下。如抱虎歸山。惟在左面耳。擺回擠出。均如右邊之抱虎歸山兩步亦騰起。前進半步。變爲左邊之肘下錘。轉動均如右法。右掌在前。左拳在肘下。右足在前。

猴頂雲

右手鬆開往後轉。右足往後退。變猴頂雲。與倒輦猴同、惟頭略向上頂。退四次。

摟膝打錘

右足提起略收回落下。使足尖向東南。右手同時向左邊下鬆。復圓轉向上折轉隨腰往右握拳。左手摟膝。左足前進。右拳打出

轉身蹬脚

左足跟轉動、使足尖向南。左手隨腰向上。轉至額前。手心向外。右拳收至左脇下。拳心向下。右足略提起。使足尖點地、向西南。兩手分開右右向西蹬出進步指膗錘。與太極拳同。

野馬分鬃動步攬雀尾單鞭

右拳鬆開。與左手相合。右足往西北邁去。兩手分開。作野馬分鬃式。變爲動步攬雀尾單鞭與太極拳野馬分鬃後變攬雀尾相同。惟步走動如第一式。

玉女穿梭

左足跟轉動。足尖向南。左手向上。轉至額前。手心向外。右手屈至左脇下。右足提起。收至左足處。足跟與右足尖相對。足尖向西。成一八字形。左手由額上往下。轉一大圓規。右手沈至右脇左手轉至右手處。復往上。左足往西南邁一大步。左手不停。轉至額上。手心向外。右拳打出。如玉女穿梭。惟掌變爲拳耳。以下轉向東南東北西北四隅。均如太極拳之變動。均易掌爲拳。由玉女穿梭變爲動步攬雀尾。

轉身野馬分鬃

攬雀尾兩手雙按之後。不變單鞭。右手收回。轉一小圓規。即往下分。手心向下。右足跟轉動。使足尖向南。左足往西北邁一大步。左手與右手。同時轉一大圓規。轉至右手脇下時。隨左足往西北分開。成野馬分鬃式。右手復與左手相合。右足往東南邁。兩手分開。共作野馬分鬃六次。第七次分鬃。左步往正東邁去。左手亦往正東。

轉身單鞭下勢

由向東之野馬分鬃。右手向下。轉至東邊。與左手相近處。兩手復同時向上往西轉。眼神隨之。右手轉至西邊。變成吊手。身往下坐在右腿上。左手作下勢式。左右金雞獨立。亦與太極拳同。

退步摟膝

由金雞獨立。左足往後往北邁。足尖向北。右足尖轉向東北。左手摟膝。右手轉一圓規。向北按出。轉動均如摟膝拗步。惟面向正北耳。左足跟轉動。使足尖向東南。右足往後往南邁。足尖向南。右手摟膝。左手按出。面向正南。共打五次或七次。右步按出而止。變斜飛式提手白鶴晾翅摟膝拗步。均如太極拳同。

海底珍珠扇通臂

海底珍珠。與海底針同。惟右掌收回時。須隨腰轉一圓規。落下用拳而不用掌。扇通臂亦與太極拳同。惟左步前進稍遠。右足不離地。亦隨之前進撇身錘上步搬攔錘動步攬雀尾單鞭抎手單鞭高探馬均如前。

左右蹬脚轉身蹬脚

由高探馬轉右蹬脚。兩手隨腰轉動而上。右手在前在上。左手在後在下。兩掌斜對相合。手尖均斜向東南。兩手復斜向下。轉一小圓規相合。右足蹬出。兩手分開。變左蹬脚時。兩手隨腰轉動而上。左手在前在上。右手在後在下。兩掌斜對相合。手尖均斜向東北。兩手復斜向下。轉一小圓規相合。左足蹬出。兩手分開。轉身蹬脚亦同太極拳。

換步摟膝換步栽錘

左足蹬出後。變摟膝拗步。右手按出。與太極拳同。換步摟膝。左手按出如前。復換步。左手摟膝。右手往右轉上握拳。從耳邊向下打栽錘。眼神隨右拳看。

雙叉手

右足向西邁一大步。兩手由下分開。轉上相合。與雙風貫耳同。惟兩手用掌。手心向下。指尖相對。

翻身二起脚

右足跟轉動。足尖向南。坐實右腿。兩手隨腰向南轉動。相合。右手在額上。手心向外。左手在右脇下。手心向下。左足跟亦同時轉動。足尖向東北。坐實左腿。右足向東平踢起。右手心拍足背。左手轉至右腰際。手心向上。右足拍後。旋落下。足尖向南。兩手相合。作斜十字。左足向東平踢起。左手心拍足背。右手向西分開。

披身伏虎式

左足踢後。即落下。與右足並立。右手由西向上向東轉至左手處。左足往西平邁一大步。兩手轉動。作披身伏虎式。惟右拳在上。左拳在下。與太極拳相同。而形式相反。轉右足跟。左足往東北邁一大步。兩手轉動。作披身伏虎式。左拳在上。右拳在下。與太極拳相同。而方向形式均相反。

回身蹬脚雙風貫耳

右拳轉上。與左拳合。復分開。轉身相合。身復向南。蹬左脚。兩手分開。左腿提。回兩手復翻轉相合。至左膝處。左足往東北邁一大步。兩手同時分開相合。作雙風貫耳式。與太極拳轉動均相同。惟方向相反。

右蹬脚轉身左蹬脚

身復轉向南。兩手隨身分開相合。作十字。右足蹬出。右足提回。身旋轉一周。仍向南。左足蹬出。一切轉動均與太極拳相同。惟方向相反。

換步搬攔錘

左足蹬出後。仍收回。足尖下垂落下。足尖向東北。左手隨左足往下鬆。復向上轉。左手轉至胸前。復隨左足往下沈。握拳藏於左脇下。進右步。右手搬攔。左手打拳。右手扶左腕處。左足復提起落下。換步之變動。與換步摟膝同。進左步。右手打步。

左手扶右腕處。

如封似閉進步雙按

如封似閉。如太極拳。惟兩手分開時。右步略提起前進。兩手按出時。左步亦略提起前進。兩手復往上鬆回。右步提起略進。兩手復按出。左步提起前進。如攬雀尾之按。惟左足在前。

右單鞭

兩手復鬆回。左手隨腰轉一小圓規。右手隨腰轉一大圓規。左手成吊手。右手變單鞭。左足跟轉動。足尖向南。右足略往東北邁一大步。如太極拳之單鞭。惟左右手方向不同。

右抎手右單鞭下勢

抎手由東往西行。變爲右單鞭下勢。與太極拳方向相反。

金雞獨立。倒輦猴。左斜飛。左提手。左晾翅。左摟膝。海底針。右通臂。撇身錘。進步搬

攔錘。播箕式。雙托掌。十字手。左歸山。右單鞭。以上各式。均如前法。惟右式變爲左式。或左式變爲右式

野馬分鬃

由右單鞭復坐實左腿。右手隨腰收回。與左手相合。左手在上。右手在下。右足往西北邁一大步。兩手分開右手在前。左手在後。面向西北。成野馬分鬃式。

進步肩靠

左足提起。向西北前進半步。兩手略向上往裏相合。右足復提起。前進半步。兩手合至胸前時。左手輕扶右肘裏灣。右手向下鬆轉一圓規。隨右步往下鬆直。左手仍扶原處。坐實右腿。眼神向西北看。此式如大擺之靠。

玉女穿梭

兩手復提起。提至額前。腰往後坐。兩手隨腰往後鬆轉。右手心本向內者。漸轉至手心向外。腰復往前進。右手轉至額上。左手按出。成玉女穿梭式。

野馬分鬃進步肩靠玉女穿梭

右足提起。向裏褁步。使足尖向東南。與左足成八字形。兩手隨步相合。右手在上。左手在下。轉身。左足往東北邁一大步。兩手分開。作野馬分鬃式。兩手略向上往裏相合。合至胸前時。右手輕扶左肘裏灣。左手向下鬆轉一圓規。隨左步往下鬆直。右手仍扶原處。兩足提起前進如前法。坐實左腿。眼神向東北看。如大攦之靠。變玉女穿梭。如前法。惟兩手及方向不同。右足往東南邁一大步。野馬分鬃玉女穿梭如前法。此變爲向東南方。右足仍向裏褁步。與右足成八字形。左足往西南邁一大步。野馬分鬃進步肩靠玉女穿梭如前法。此變爲向西南方。

左右風輪

右手往上鬆。往右轉動。左手往左鬆。往下轉動。右步往西北邁一大步。如野馬分鬃之步。左手隨腰隨右步往西北輪轉。手心向西北。向外。手指向下。右手隨腰隨左步往上輪轉。手心向下。左手向左。又向上鬆轉。右手向右。又向下鬆轉。左步往西南邁一大步。右手隨腰隨左步往西南輪轉。手心向西南向外。手指向下。左手隨腰隨右步往上輪轉。手心向下。兩手如輪。與掭手相彷彿。惟步法不同。

動步攬雀尾單鞭擅手高探馬

輪至右手在上時。左足前進半步。左手隨之捧出。變爲動步攬雀尾單鞭掭手高探馬。均如前法。

十字腿左右摟膝打錘

由高探馬左手穿出轉身向東。亦如前。惟以左手心拍右足背。拍後。左足提起落下。足尖向西北。左手摟膝。進左步。右手打拳。轉左足尖使向東北。右手摟膝。左手打錘。

左琵琶彎弓射雁

左足提起落下。右足提起收回。兩手亦同時收回。右手在前。左手在後。變左琵琶式。由左琵琶。兩手隨腰向上向右鬆轉。右手在上。左手在下。如捧球式。轉至右邊復向下轉。左足向西南邁一大步。兩手轉至左膝外。復向西北轉。上作射雁式。右手略高。眼神亦隨之轉動。

進步搬攔錘如封似閉單鞭下勢。均如太極拳。

七星脚退步踢脚轉身擺蓮

七星脚如上步七星。惟右足隨進步時踢出。退步踢脚。如退步跨虎。惟左足隨退步時踢出。踢出後。足不落下。即變轉身擺蓮。如前法。彎弓射虎上步搬攔錘播箕式雙托掌十字手合太極。均如前法。

太極拳名人軼事

陳微明

中國拳術。千門萬派。不可殫述。惟武當派太極拳。張三丰所傳。乃純粹內家。以其毫不用氣力也。（渾身鬆開。不用氣力方能長內勁。）廣平楊露禪先生受術於河南陳長興。傳於其子班侯健侯。健侯傳於其子少侯澄甫。今將楊氏及其弟子就余所知者略述其軼事如右。

露禪嘗習外家拳。其後聞河南懷慶府陳家溝陳長興者。精太極拳。露禪傾產挈金。往懷慶從長興學。數年。偶與其師兄弟相較。輒負。夜起溺。聞有聲於牆外。乃越牆往覷其異。見師兄弟輩。羣集於廳中。其師口講指授。皆拳中精意也。乃伏窗外竊窺。自後每夜必往。他日其師兄強露禪與之較。露禪不得已許之。不能勝露禪。衆大驚異。其師召露禪曰。吾察子數年。誠樸而能忍耐。將授子以意。明日來予室。翌日露禪往見其師。假寐於椅。而仰其首。狀至不適。露禪垂手立於側。久之不醒。於是以手承師之首。良久臂若折。而不敢稍移。及其師醒曰。孺子來耶。予倦睡矣。

明日再來。露禪退。明日復如約而往。其師已陶然入睡鄉矣。露禪屏聲息氣而待之。其師或張目四顧。見露禪俟於旁。無怨色。且加敬焉。又言如前。露禪第三日往。其師曰。孺子可教也。於是授之術。令歸習之。後其師兄弟或與之相比。而無有能勝之者。長興謂其他弟子曰。予以所有之功夫與子輩。而不能得也。不與露禪。而已得之去矣。露禪學既成而歸。財產已盡。或薦至京師某富家。其家先有一教師。其人庸者。而富於嫉心。聞露禪之來。心甚不快。强欲與露禪鬬。露禪曰。吾子必欲一較也。請往告主人。主人曰。子輩相鬬。以戲可耳。然不可致其命也。露禪既至場中。直立而不動。教師力擊之。未見露禪之還手也。而教師已仆於丈外矣。主人大異之。揖露禪而言曰。不知吾子之功。如是其深也。於是設筵以欵之。宴畢。露禪束裝辭去。留之不可。遂授徒於京師。是以京師之習太極拳者。皆楊氏之弟子也。

露禪傳太極拳術於其子班侯健侯。期望甚深。日夜督責。二人不能勝任。一欲逃走。一欲雉經。皆覺而未果。然二人年未至冠。已成能手。名震京師。有貴胄聞之聘班侯爲師館於其家。月餽束修四十金。甚敬禮焉。雄縣劉某者。忘其名。練岳氏散手。有數百斤之氣力。授徒千餘人。有人兩面挑撥。班侯志甚傲。聞之不平。遂相約於東城某處比試。一時傳遍都城。聚而觀者數千人。二人至場。雄縣劉卽出手擒住班侯之手腕。班侯用截勁抖之。劉跌出。狼狽而去。班侯由是名聲大著。班侯歸見其父。揚揚得意。眉飛色舞。述打劉之形狀。露禪冷笑曰。打得好。袖子已去了半截。這算是太極勁嗎。班侯聞言。自視其袖。果然。乃嗒喪而出。班侯云。當其擒住手腕時。有如狗咬云。

楊班侯弟子。至今惟有陳秀峯及富二爺二人。秀峯武清縣人。與澄甫先生同里。余未見之。富二爺住東城炒麵胡同。余聞澄甫先生言。亟往訪之。年七十餘矣。氣態若五十。其子年過五旬。不知者以爲昆弟行也。余道欽仰之意。富二爺曰。吾雖爲班侯先生弟子。未能傳先生之技。蓋不練者已四十餘年。余問旣得班侯先生之傳授。何以棄置不練。答曰。吾父不許練也。先是吾兄習摔角功夫極好。每日歸必教吾摔角。後應募從軍。至甘肅。臨行。囑吾曰。摔角功夫。不許間斷。別數年。歸。一見。即問功夫如何。吾答曰。久不練習矣。兄聞之。意似不悅。吾乃告以從班侯學太極拳。如何不用氣力。如何能化人之勁。兄不信。以拳擊吾。吾用搬攔錘還擊。不意兄由堂屋跌出院中。仰臥於地。竟不能起。吾大驚。扶之起。已跌傷矣。臥養數日始愈。父大責斥。由是不許練習太極。殊爲可惜。亦由年幼太冒失故也。

富二爺又曰。吾露禪師祖。喜吾勤謹。吾嘗在旁伺候。爲裝旱烟。年八十餘。尚練工夫不息。偶至吾家坐談。一日天雨泥濘載道。師祖忽至。而所着雙履。粉底尚潔白如新。無點污。此即踏雪無痕之功夫也。蓋太極清靈。能將全身提起。練到極處。實能騰空而行。班侯亦有此功夫。知者極少。吾曾親見一次。

師祖函召弟子。於某日齊至其家。謂欲出門一游。有話吩咐。至期俱來。而門外並未套車。衆頗異之。是日師坐堂屋正中。弟子拜見畢。各裝旱烟一袋。肅立左右。師各呼至前。勉勵數語。並傳授太極拳大意。頃之。師祖忽拂其袖。端坐而逝。

露禪師祖逝世後停靈於齊化門外某寺內方丈某。亦嫻武術。寺爲向南正殿五楹。東西各有廂房數間。靈櫬停於西廂內。吾師及健侯師叔宿西廂套間內。予亦隨侍焉。而東廂旋來一南省人。指甲甚修。語喁晰不可辨。不知爲何許人。一日吾師等外出。囑予曰。不可出此門。並不許與東廂之南人接談。予諾而異之。時予年十九。童心未改。師去後。悶坐無聊。靜極思動。忽忘前戒。啓闢而出。至正殿游戲。時右手托一茶碗。於殿上旋轉而舞。一躍而登方桌之上。水不外溢。意得甚適。爲東廂之南人所見。遽來問訊。予頓憶師言。惶急不敢對。逸歸臥室。次日方丈來與吾師切切私語。吾師初有難色。繼似首肯。方丈出。旋偕南人來。吾師對之。其謙抑逾平時。相將出門。久之始歸。吾師有得意之色。南人即整裝去矣。又曰。吾師有一女。年十七八。聰慧絕倫。師甚鍾愛之。忽急病而死。時吾師他往。聞訊馳回。已蓋棺矣。不覺踊躍痛哭。忽騰起七八尺之高。如懸之空際者然。旁觀者咸舌撟而不能下。予亦親見之也。此無他。蓋吾師本有飛騰功夫。今痛極踊躍。遽於不知不覺間流露其絕技也。

楊氏昆仲雖以精拳術聞於世。然深沈不露。尤善養氣。絕無爭雄競長之心。平居謙抑異常不知者以爲無能之輩。大智若愚。大勇若怯。誠哉不可以貌衡人也。某年有一南人來訪。時班侯年屆六旬。南人極致欽慕之意。謂曰。聞君太極拳粘勁如膠如漆。有使人不能脫離之妙。願承明教。班侯曰。鄙人以先人所習僅粗知此中門徑。何曾有此功夫。堅持不允。南人再三請。乃曰。諒君必精於此。如老朽何足以相頡頏。無已。請示試之之法。不知能勉力追隨否。南人曰。試用磚數十塊。每塊距離二尺餘。勻列院中。如太極式。吾在前。君在後。以右手粘吾之背。於磚上作磨旋行。足不許落地。手不許離背。足落地手離背者爲負。班侯曰。磨旋行則頭腦易昏。恐非老朽所能。然既承教。敢不唯命。即於院中如法佈置。畢。南人先上。緩步徐行。班侯斂氣凝神。亦步亦趨。不離南人之背。繞行數匝。南人身輕如燕。漸走漸速。迅如飛輪。班侯亦運其飛騰之術。追風逐電而行。依然不離分寸。南人無法擺脫。

忽飛身一躍。蹤上屋面。回顧院中。不見班侯踪跡。深爲駭異。而不知班侯。仍在其後。撫其背曰。君惡作劇。累煞老朽。且下一息。何如。南人不禁愕然。乃大拜服。訂交而去。

健侯爲神武營教練時。年已七十餘矣。一日自外歸。有莽漢持棍。出其不意。自後擊之。健侯忽轉身以手接棍。略送之。莽漢已跌出尋丈。健侯能停燕子於手掌心。燕子不能飛去。蓋能聽其兩爪之勁。隨之下鬆。燕子兩足不得力。不得勢。而不能飛也。

露禪之弟子王蘭亭。功夫極深。惜其早死。有李賓甫者。聞係從蘭亭學藝。亦甚高。訪之者極衆。而未嘗負於人。一日有少年來訪。口操南音。手離几椅數寸許。揚其手。几椅隨之騰起。懸於空中。賓甫見之駭然。少年欲與比試。賓甫遜謝不獲。少年遽進。時賓甫左手抱一小狗。僅右手與之招架。數轉之後。少年已跌於地。乃痛哭而去。

有習頂功者欲與賓甫角。賓甫謝之不肯。賓甫以手按其腹。未一月卽死於逆旅之中。

余從澄甫先生學習數年。澄甫先生曰。世間練太極拳者。亦不在少數。宜知分別純雜。以其味不同也。純粹太極。其臂如綿裹鐵。柔軟沉重。推手之時。可以分辨。（太極有二人推手之功夫） 其拿人之時手極輕。而人不能過。其放人之時。如脫彈丸。迅疾乾脆。毫不費力。被跌出者。但覺一動。而並不覺痛。已跌丈餘外矣。其粘人之時。並不抓擒。輕輕粘住。卽如膠而不能脫。使人兩臂酸廐不可耐。此乃眞太極拳也。若用大力按人推人。雖亦可以制人。將人打出。然自己終未免喫力。受者亦覺得甚痛。雖打出亦不能乾脆。反之吾欲以力擒制太極拳能手。則如捕風捉影。處處落空。又如水上踩葫蘆。終不得力。此乃眞太極意也。其言之精如此。余試之誠然。不能不令人佩服矣。

太極拳與各種運動之比較

陳志進

太極拳與摔角之比較　摔角盛行於內外蒙古。又名摜跤。前清政府爲防備蒙人起見。極力提倡。故北京保定等處。摜跤廠甚多。惟須少年之人。身體强壯。多力耐勞能吃苦者。始爲合宜。一年即可成功。故諺有三年把勢。當年跤之語。然此一年中。練時甚苦。須半夜起身苦練。有跑墳之工夫。因北地之墳。都是上尖下大。且甚高大。練者由墳頂。直腿往下猛跑。而不摔倒爲止。有一足獨立之工夫。一足立牢。一足與二手頭身成爲水平線。以不搖動能久立爲止。有踢袋之工夫。手提百十斤之砂袋。雙足交換而踢。以能踢飛而止。有摜砂袋之工夫。用數十斤之鐵砂袋。數人彼摜此抓。以不失落爲止。故摔角之人。至老年時。雙腿僵直。行步艱難。入廠摜跤。有特製之衣。衣此衣。摔死不償命。心術壞者。每借此爲害人之地。練太極拳。身體越練越康健。得其三昧。不自作聰明。按其規矩而練。身體筋骨。絕無僵硬之時。而跌人之妙。更過於摔角。楊露禪先生。八十餘歲時。在水泥上行走。鞋底不濕。可知其步履輕捷矣。

太極拳與八段錦之比較　八段錦。為我國文人運動之一種。而種類亦復不少。有大八段錦。小八段錦。十二段錦。混言八段錦。九宮靠等。練之舒長筋骨活動氣血。甚為有益。然祇一人單獨練習。不動步其效止於身體康强而已不能防身禦侮也。練太極拳亦是舒長筋骨活動氣血。而內外齊練。週身活動自始至終一氣貫串。上下相隨內外相合練之者有强身之樂有防身之能無單練之寂寞有推手之歡樂。

太極拳與彈腿之比較　彈腿傳自回教。法甚簡單。今遍中國皆有練之者。大同小異。少有不同。練時尙彈勁。一發無餘一拳一腿須收回再出。有單練有對打。余曾練二三年。故知其詳。太極拳循環無端如常山蛇首尾相應。粘處皆可放勁接手即能打出。不必收回之後再去二勁也。

太極拳與柔軟體操之比較　柔軟體操傳自泰西。遍行於學校軍隊之中。與八段錦相似。亦無防身禦侮之能。而練之者。亦少興趣。不過國人震於泰西之傳授。極端迷信。而行之數十年。絕無成效之可言。若練太極拳。練熟之後。習慣成自然。終身練之。無論士農工商。每日有一小時之工夫。即能內强其身。外防侮辱。而練柔軟體操者。一出學校。一離軍隊。每日自練者有之乎。若太極拳既會之後。得其趣味。自有不能捨之之意。

太極拳與田徑賽之比較　田徑賽須少年爲之。非盡人可能練之。練之者多受內傷。有吐血暈絕之患。每觀比賽。旁觀者鼓掌稱賀第一。而勝者已懨懨不堪。面無血色。渾身癱軟。二人架之。行數十分鐘。始能漸漸回復原狀。太極拳則不論老幼男婦。皆可練習。練之者身體日强。久而久之。得其趣味。雖欲捨之不練。亦不能矣。

太極拳與足球之比較　足球練項練肩練腿。足運動甚爲有益。然亦祗能少年壯年能之。幼年老年則不相宜。練太極拳。要鬆肩垂肘。坐手腕。含胸拔背。提頂勁。足球之益。太極拳悉有之也。

太極拳與西洋拳術之比較　西洋拳術。專尙力不從巧妙處用功。二人對打之時。帶皮手套打胸部以上頭臉以下。跌倒不爲輸。且有種種限制。甚不自由。無趣味可言。而老年之拳術家。則未見之。太極拳與人對手。可以傷。可以不傷。傷不傷在於心術之良否。不在拳脚上也。練太極拳工久者。週身不受擊。擊之者自跌。楊露禪先生七十餘歲時。常釣魚於河上。背受二人之擊。擊之者反由露禪先生之頭上跌入河中。露禪先生坐釣如故。并未動也。楊鏡湖先生八十歲時。坐於椅上。腹受少年人之拳。力多者。跌出愈遠。

太極拳與日本柔術之比較　柔術本傳自我國之摔角。日本人又從而研究之。今盛行於三島之間。今者十人而九。日本之强盛。大有力焉。然不能與中國之拳術較。蓋拳術爲我國人獨得之秘。地球之上。莫之能京。柔術之主要在防人之攻擊。對練者多。單練者少。一人獨居則無聊焉。太極拳獨練對習。皆有趣味。獨練走架。是知己工夫。是體。二人對練推手。是知人工夫。是用。練久者自知其妙。

太極拳與各種拳術之比較　中國拳術。千門萬派。省省不同。約而言之。不過內工外工花拳而已。江湖賣藝者流。習練花拳。博無識者之贊美。不過營業之一種。或爲盜賊之媒。不登大雅之堂。置而不論。練外工者。尙力以能受擊爲强。而忽於內。筋骨之强者。臨終時。散工之際。最爲痛苦。欲死不能死。令人目不忍見。練太極拳者。無此病也。

太極拳與各種運動之比較

太極拳之品格功用

陳志進

太極拳爲武當嫡派。乃張三丰祖師因觀鵲蛇之鬬。忽有會心。發明此拳。蓋恐修道之士。靜坐功深。血脈有凝滯之患。山行野宿。突然有野獸之厄。是以因觀鵲蛇之鬬。智仿禽獸之飛躍。法天地自然之理。參太極陰陽之秘。創此太極拳以傳修道之士。爲靜功之助。久練之後。且有衛身之能。延壽之益。故其歌訣中有詳推用意終何在。益壽延年不老春之語。而練拳之時。純以神行。不尚拙力。故其歌訣中又有若言體用何爲準。意氣君來骨肉臣之語。最要而最難者。爲尾閭中正。神貫頂。滿身輕利頂頭懸。此中大有講究。祖師雲游四方之時。憫文人之懦弱。時受强暴者之侮辱。而無抵禦之策。遂留傳世間。以柔克剛。以弱制强。無力打有力。借人之力。順人之勢。自此以後。太極拳爲世所重。稱爲武當派。出於少林之上。得斯術者。如獲至寶。不肯輕易傳人。必深知其人之德行操守。又加以多年之精密考察。始肯傳其秘訣。學拳之外。有必須遵守之規律。一不許保鏢護院。二不許沿街賣藝。三不許爲綠林嚮馬。以玷身家而累師傅。由此觀之。非品格高尙之人不能學。非堅忍卓絕之人不能學。學之者有變化氣質之功能。性暴燥而急促者。可使之平和而安詳。蓋練拳之時。全身鬆開。順乎自然。渾圓流利。氣沉丹田。心中空空洞洞。思慮全無。如莊周之夢蝶。人蝶不分。練完之後。自己曾練與否。亦不之知。練太極拳到如此境界。有何病不可去。不但自己如此。旁觀之人。亦不覺心平氣和。與之俱化。練拳之時。不許脫衣赤身。須穿長衫馬褂。從容文雅。不咬牙瞪眼。亦不喝叱怪叫。夫太極拳之功用。未病者能使永無疾病。已病者雖沉疴宿患。皆能拔除。雖屬技藝。稱爲醫王。有何不可。要知此種太極拳術。爲養生却病之最妙法術。諸君觀之。當不以余言爲河漢也。

定價大洋捌角

著者　陳微明

發行者　致柔拳社

印刷者　中華書局

代售處　中華書局及各大書坊

太極劍

附太極長拳

孝胥

（封面）太极剑 附太极长拳

孝胥[①]钤“郑苏堪”印

注释

① 孝胥：郑孝胥（1860—1938年），字苏堪，号海藏，闽侯（今福州）人。晚清政治家，早期曾参与戊戌变法。立宪时期，参与创建上海商务印书馆、上海储蓄银行，推动新式教育，并受岑春煊派遣，出任预备立宪公会会长。辛亥革命后，以遗老自居。在溥仪被赶出紫禁城后，他致力于溥仪的复辟，积极筹划满洲国的建国，出任满洲国总理兼文教总长，暴卒于长春。其于法帖颇多造诣，书法工楷隶，尤善楷书，取径欧阳询及苏轼，得力于北魏碑。创诗坛“同光体”，辞多苍劲朴茂，汪辟疆著《光宣诗坛点将录》，将其比作“天罡星玉麒麟卢俊义”，拔得第二把交椅，颇得溢美之词。

慎先姻世兄[①]詧书[②]

武当嫡派

八十三叟冯煦[③]钤“冯煦臣印”

注释

① 姻世兄：姻，姻也。古人称谓，有婚姻关系而结谊者，加“姻”字，如姻伯，姻兄。有与父祖辈世交而结谊者，加“世”字，如世伯，世兄。既有婚姻关系，又兼父祖辈交情的，加“姻世”二字，如姻世伯，姻世兄。姻世兄，盖指对有姻亲关系的小辈人的尊称。

② 詧书：詧，察也。察书，校正勘定所书写的文字。把自己的书画等送人时，表示请对方指教的敬谦语成语。

③ 冯煦（1842—1927 年）：字梦华，号蒿庵，金坛五叶人。光绪八年（1882 年）中举人，光绪十二年（1886 年）中丙戌科赵以炯榜进士第三名（探花），授翰林院编修，历任四川按察使、布政使，安徽按察使、布政使、安徽巡抚。与鹿传霖、张之洞结仇，罢官后寓居上海，自号蒿隐公，以遗老自居，总纂《江南通志》，著有《蒿庵类稿》。其书法师宗钟繇、虞世南、孙过庭。风格醇朴遒劲，神采烨然。

微明先生正[①]

剑光凌云

戊辰年[②]仲春

李景林[③]

注 释

① 正：订正。多作“指正”“雅正”“斧正”等，把自己的书画等送人时，表示请对方指教的敬谦语成语。

② 戊辰年：即 1928 年。

③ 李景林（1885—1931 年）：字芳宸，直隶枣强人，民国将领，武术家。毕业于保定北洋陆军速成武备学堂，历任奉系军长、直隶军务督办、直隶省长等职。幼承父艺，从学技击，早年娴熟燕青门、二郎门等武技，后师从武当道士陈世钧学习武当对剑。与张之江筹组中央国术馆，任副馆长。1929 年应张静江之聘，筹备“浙江国术游艺大会”，并担纲浙江国术游艺大会评判委员长。1931 年受邀组建山东国术馆，同年 11 月 13 日逝世。陈微明作《祭李芳宸将军文》。

序

余弱不好弄[①]，长耽静默[②]，武术诸书，素未问津。间于稠人广坐遇一二魁梧，其形精悍，其色者识之为有拳术者而已。[③] 戊午后，久客沪渎，凡值武术运动开会,倾动士女，余亦未尝一往。[④] 乙丑岁[⑤]，阅报纸[⑥]见有浠川[⑦]陈微明君，来设致柔拳社，教授太极拳术，一寓目，亦忘之矣。

注 释

① 弱不好弄：指幼年时不爱好嬉戏。颜延之《陶征士诔》云："弱不好弄，长实素心。"

② 长耽静默：长大后喜好安静缄默，耽思耽乐。

③ 间于稠人广坐……有拳术者而已：间，间或，偶然。稠人广坐者，大庭广众也。此句意为偶然会在大庭广众中，遇见一两个身形魁梧的人，他们的外形精强勇猛，从表面上看就识得是会拳术的人。如此罢了。

④ 戊午后……未尝一往：戊午，民国七年，即 1918 年。沪渎，上海。此句意为 1918 年之后，长期旅居在上海，一般情形下，遇到武术运动，都会召集会议，轰动士女百姓，我也从来没有动身去看过。

⑤ 乙丑岁：民国十四年，即 1925 年。

⑥ 报纸：此报即 1925 年 5 月 2 日《申报》，其第 17 页载："吾国内家拳为太极、八卦、形意三种，而太极拳最为精妙。练太极拳之善者，当首推杨澄甫。练八卦、形意之著者，当首推孙禄堂。鄂省陈慎先，独兼二家之长，融会贯通，实为当今内家拳拳术中难能可贵之人物。现在沪筹办致柔拳社，暂寓哈同路南口，福煦路民厚里六百零八号。日来陆续有人报名，业已开始教授，沪上有名人物如王一亭、聂云台等，均就陈君求学云。"哈同路，今为上海铜仁路。福煦路，即今上海延安中路。民厚里，原哈同花园（爱俪园）旧址，后改名慈厚里，今上海嘉里中心一带。

⑦ 浠川：属长江水系，为长江中游支流，位于湖北省黄冈市浠水县，县因河名。浠水县境有浠水、巴水、蕲水、策湖、望天湖等五大水系，陈微明祖居在巴水与长江汇合处的巴河镇陈家大岭。

丙寅春季①，偶过西武昌路②，觇门首榜揭致柔分社③，因忆及，姑入观焉。④登楼见一长髯者，与一道士装者相对立，以手互相萦绕，初不知为太极拳中之推手，以为二人戏耳⑤。复见三数人⑥，演各种姿势，其动作舒而徐⑦，若惟恐用力者然⑧，且其举步轻，着地无声，心颇异之⑨。旋见一面白而儒雅者，入就旁榻，坐观诸人久，徐起，矫正其姿势就，询知，为社长陈微明君。余更讶焉。⑩盖余意中，社长必魁梧，其形精悍，其色宁为一意态闲逸之书生。⑪

注 释

① 丙寅春季：即 1926 年春季。

② 西武昌路：上海市虹口区南部的一条街道，东西走向，东起黄浦路，

西至江西北路。以四川北路为界，以东名为东武昌路，以西名为西武昌路。致柔拳社初创于福煦路民厚里六百零八号，两个月后，入社的人越来越多，原址不敷应用，遂于1925年7月20日，迁址至新闸路李诵清堂路二百二十五号。1926年3月，为适应各界女士学拳之需，特在山西路二二五号及西武昌路十四号设立女子体育师范班。

二水按：今上海陕西北路、江宁路、西康路、新闸路、武定路、安远路、长寿路附近60亩地产，系当年沪上宁波商人“小港李氏”第三代——李云书所购置的地产，故其路以其个人名号命名。陈微明的女婿李祖定，即沪上“小港李氏”第四代族人。

③ 靓门首榜揭致柔分社：看到门前挂着致柔分社的招牌。此分社，即西武昌路十四号设立女子体育师范班。

④ 因忆及，姑入观焉：意为因为想到之前在报纸有关致柔拳社的消息，姑且就进去看看。

⑤ 以为二人戏耳：以为是两个人在玩游戏罢了。

⑥ 三数人：概说，非确数也。意即三五个人。

⑦ 舒而徐：舒展而缓慢。

⑧ 若惟恐用力者然：好像就只怕会使出蛮力来的样子。

⑨ 心颇异之：心里觉得很诧异。

⑩ 旋见……余更讶焉：意为旋即看见一位面色白净，神情儒雅的先生，走过来，坐在一边的凳子上，看了各位一段时间，慢慢地起身，分别为他们矫正其姿势之后，询问才知，他就是致柔拳社的社长陈微明先生。我就更加惊讶了。

⑪ 盖余意中……闲逸之书生：意为因为我概念中，拳社的社长一定是长得高大魁梧，外形精强勇猛，而他外表上看起来，就只一位神情恬静，安闲自适的书生啊。

姑购所著《太极拳术》一册归。漏三下读之竟[1]，始悉太极拳之源流及功用，并悉君为壬寅同年。[2] 是岁与其兄若弟同捷者，一门三魁，传为佳话。[3] 余慨念君之曾祖秋舫先生，以第一人及第，才名冠世，自嘉道迄同光，殆无人不读简学斋诗者。[4] 先德子青年丈[5]，宿学潜德，士林矜式[6]。太夫人周[7]，工书法，雄伟浑厚，慑服士大夫。是固代以文学显，君今乃能积健为雄，发扬内家奥旨，以拳术鸣海上。[8]

注释

① 漏三下读之竟：漏，古代滴水、漏沙等记时的器具。概指晚上的时间。此句意为当晚，一时三刻，刻刻不停，做了一次夜猫子，就将书从头看到尾。

② 始悉……壬寅同年：意为才知道太极拳的起源传承以及功效作用，并且还知道我与陈微明先生还是同在清光绪二十八年（1902 年）壬寅年乡试同科考中秀才的。

③ 是岁……传为佳话：意为这一年，陈微明先生与他哥哥陈曾寿、弟弟陈曾矩三人同时参加湖北乡试，同科高中举人，一家门内同时出了三名举人，一时传为佳话。

二水按：1902 年 10 月 25 日《申报》载：“此次中式之第五名陈曾矩、第六名陈曾寿、第八名陈曾则，均为陈秋舫殿元曾孙，埙篪竞爽，同掇巍科，祖德清芬，留贻可谓绵远矣。”

④ 余慨念……简学斋诗者：意为我由此感慨怀念先生的曾祖父秋舫先生（陈沆，原名学濂，字太初，号秋舫，室名简学斋），以嘉庆二十四年(1819 年）中进士一甲一名，状元及第，才名冠世。从嘉庆、道光，到同治、光绪，各朝读书人里，几乎找不出一位没有读过他简学斋诗的人。

⑤ 先德子青年丈：先德，对他人父亲的尊称。子青，是陈微明父亲的字。年丈，对同年登科人父辈的尊称，或称年伯。

二水按：陈微明的父亲，讳恩浦，字子青，是祖父陈廷经的庶子。屡试不第，以国学生入赀（纳钱财博得名爵）中书科中书。娶周氏，生长女，早殇。生子七人，分别为：曾寿（字仁先）、曾则（字慎先）、曾矩（字絜先）、曾榖（字诒先）、曾畴（字农先）、曾言（字询先）、曾杰（字识先），娶侧室邓氏，庶出曾馀（字厚先）、曾潜（字灼先）。光绪九年（1883 年）携家人从京师回湖北，寓居武昌。陈微明，讳曾则，行三。惟他与兄曾寿两人出生于京师。

另，陈微明的祖父，讳廷经，字执夫，号小舫，或筱舫，道光二十四年（1844 年）甲辰科进士。由庶常授编修，累官至内阁侍读学士，时任巡视南城掌四川道监察御史，以通洋务、敢直言而名重京师。同治四年（1865 年）一月，陈廷经奏陈讲求兵制，整顿营伍，筹划海防，置造外洋船炮，“以靖内患、御外侮”，清廷根据陈廷经的请求，让曾国藩、李鸿章会同商酌，此即江南制造总局和金陵机器局的由起。

⑥ 矜式：楷模，示范，取法。

⑦ 太夫人周：陈微明的生母周氏，漕运总督黄陂周恒祺之女，讳保珊，字佩云，工书画。书法从颜体入手，取法欧阳、襄阳，体气势雄，博得书家如杨惺吾、沈寐叟等赞叹。

⑧ 是固……以拳术鸣海上：是固，是故，因此。此句意为因此，陈家世代都是以文采博学而著称的。而先生现在日积月累，学深养到，却展现了他雄浑的风格，发扬内家功夫的精深要义，以拳术而闻名于沪上。

于是心怦然动，翌日造庐请谒①，次月遂入社。不以人事而辍，不以风雨而阻，迄将两年，虽年事既长，进境如登太行，然亦自谓微有所得，故好之愈笃。[2] 中间先生更授以太极剑，惧拳剑之不及兼顾也，甫半而请止。[3]

今先生复著《太极剑术》一书成，坚索一言。夫以未学剑之人，欲论列剑术之奥旨，自无能为役，聊述余入社之巅末如此。[4]

虽然，余女、余侄及余孙，均从先生兼习拳剑，则余学剑之志宁敢忘哉。[5] 自今请赓续[6]学剑，且以太极拳之精微，期以十年，或有小成之可言。[7]

注释

① 翌日造庐请谒：第二天就专程去登门拜访。

② 不以人事……故好之愈笃：意为不会因为人事杂务而中断，也不会因为刮风下雨而受阻，到今天将近两年了，虽然上了年纪，进步的状态就像是爬太行山一样的，然而自我感觉还是有所收益，所以也就越来越喜欢了。

③ 中间……甫半而请止：意为近两年的学习过程中，先生曾变更了教学内容，教了太极剑，我担心同时学拳学剑，会兼顾不到，就中途请求暂定学剑。

④ 今先生……余入社之巅末如此：意为现在先生又写成了《太极剑术》一书，还坚持让我写上几句，让我这样一个尚未学完剑的人，来谈论剑术的精妙之处，自然没有能力来完成这一美差，所以姑且就这样来谈谈我入社学习太极拳的心路历程和前后经过。

⑤ 虽然……宁敢忘哉：意为虽然我中途暂停了学剑，但我女儿、侄子和孙子，都在跟先生兼学太极拳与太极剑，那么我学剑的意愿怎么敢淡忘呢？

⑥ 赓续：继续。

⑦ 且以……之可言：意为况且因为太极拳的精粹微妙，期盼有十年的学习时间，或许才有可能略有成就。

今社中姑定三年为一段落，殆不过如孩童之毕业于幼稚院耳。[①]明年余六十矣，乃为幼稚院毕业之期，届时初度之辰，先生倘以同年之谊而辱临贶者，余将率女、孙辈，执剑起舞于筵前，还以一觥寿先生也，并书之以为息壤。[②]

岁在戊辰[③]春仲，吴江钱崇威[④]。

注 释

① 今社中……幼稚院耳：意为现今拳社里暂且规定了三年为一个学习阶段，大概也不过如同孩童从幼儿园毕业罢了。

② 明年余六十矣……以为息壤：意为明年我 60 岁了，也是我学拳的幼儿园毕业期，那时，在我 60 岁生日的时候，先生倘若看在我们是同一年考中举人这份情谊上，能屈尊大驾来贺寿，我将在宴席上，率女儿、孙辈一起执剑起舞，还会与先生喝上一盅，来祝先生长寿。并用文字记上一笔，像是传说中拥有神奇魔力的土壤一样，给我与无穷的力量，鞭策鼓励我不断地努力提高。

③ 岁在戊辰：民国十七年，即 1928 年。

④ 钱崇威（1870—1969 年）：字自严、慈严，号崇安、莳年。吴江松陵人。善书，清新秀逸，性豪爽，能饮酒。光绪二十八年（1902 年），乡试高中秀才；光绪三十年（1904 年），恩科进士；民国元年（1912 年），任江苏省高等检察所检察长。未几辞职，居沪养疴，卖文为生，或返故乡以书画自娱。1954 年 10 月，任江苏省文史馆馆长。1969 年病逝上海，享年 99 岁。

太极剑序

剑术甚古，自昔文人学士皆习之。《魏志》称，文帝为太子时，与邓展饮酣，论及剑术不决，时方食甘蔗，因以习之，下殿数交，三中其臂。[①] 戴子高[②]《颜习斋先生传》：商水李子青者，大侠也，馆先生，见先生携短剑目曰："君善此乎?"先生谢不敏。子青因请与试，先生乃折竹为剑舞，相击数合，中子青腕。[③] 观此，比剑专中腕臂，与太极剑之用合，顾其法皆不传。世之能剑者，大抵皆舞剑之类，如风卷，如电驰，如鸟落，如龙翔……容观虽美，未必适于用也。[④]

注释

①《魏志》称……三中其臂：此指《魏书》，系指《裴注三国志·魏书》文帝纪中，裴松注引魏文帝《典论·自序》。此句意为《魏志》称，魏文帝曹丕还在做世子的时候，与将军邓展等人一起喝酒，谈到剑法技术问题时，争执不下，当时酒兴也酣，正在吃甘蔗解渴，于是就把甘蔗当作剑，走下宴席，相互几番比划，曹丕三次击中了邓展的手臂。

《典论·自序》此节原文如下："予又学击剑，阅师多矣。四方之法各异，唯京师为善。桓灵之间，有虎贲王越，善斯术，称于京师。河南史阿，言昔与越游具得其法。余从阿学之，精熟。尝与平虏将军刘勋、奋威将军邓展等共饮。宿闻展善有手臂，晓五兵；又称其能空手入白刃。余与论剑良久，谓言将军法非也，余顾尝好之，又得善术，固求与余对。时酒酣耳热.方食芋蔗，便以为杖，下殿数交，三中其臂。左右大笑。展意不平，求更为之。余言吾法急属，难相中面，故齐臂耳。展言愿复一交。余知其欲突以取交中也，因伪深进，展果寻前，余却脚剿，正截其颡。坐中惊视。”

② 戴子高（1837—1873年）：名望，字子高，德清人。14岁得祖辈所藏颜习斋先生书，据称系李刚主所赠，于是就叹服颜李之学，广求颜氏遗书，作《颜氏学记》十卷。

③ 商水李子青者……中子青腕：意为商水县叫李子青的人，是位大侠，他招待先生时，看见先生随身携带的短剑，看了下说：“先生擅长吗?”先生谦虚地说不很精通。李子青于是就要求试试手，先生于是就折了根竹子当做剑来耍玩，相互击刺数个回合，都击中李子青的腕部。

二水按：此节文辞，其实在李刚主纂编的《颜习斋先生年谱》中就有传，王源《颜习斋先生传》也有此节记载，但数本文辞多有出入。李刚主、王源两人，都说颜习斋随身佩戴的是短刀，而非剑。他们两人都从学于颜习斋，因此更为可信。另外颜习斋、李刚主、王源等都精于刀法，这或许又与他们曾问学的另一位大儒五公山人王余佑有关联。王余佑（1615—1684年），号五公山人，编著《太极连环十三刀》，徐哲东曾说：“以太极为者，用于技击，始见此书。”

据李刚主记载，颜习斋折竹为刀的故事，发生在康熙三十年（1691年）。这一年，五公山人已辞世七年，而颜习斋57岁。这年的七八月间，他游历各地，在上蔡访理学家张沐，明辨婉引，近一个月。相互尊重人格，但互相又说服不了对方。之后便去商水，用了“吴名士”的名片，去拜见李子青。李子青，号木天。与他谈论经世济民理论，木天很赞同先生的观点。当时先生佩了一柄短刀，木天就问：“先生擅长吗?”先生谦虚地说不很精通。木天就说：“先生倘若想学刀法，应当先学拳法，拳法，是武艺的根本啊。”当时酒兴正酣，在庭院中，月色当空，于是木天就脱了外衣，为先生一一演示了他所娴熟的各家拳法。看了很长时间，先生笑笑说：“能不能与先生试试手啊？”于是就折竹为刀，相互对练玩耍。没有几个回合，便击中了木天的腕部。木天大惊，说：“您的武技竟然到了这等高超的境界啊！”接着，又向木天深入阐述他的经世济民道理，木天倾倒下拜，第二天，还命令他的长子珖、次子顺、三子贞，都拜先生为师，从先生游学。

李刚主的《颜习斋先生年谱》载曰：以吴名士刺，拜李子青木天，与言经济，木天是之。先生佩一短刀，木天问曰：“君善此耶？”先生谢不敏。木天曰：“君愿学之，当先拳法，拳法武艺之本也。”时酒酣，月下解衣，为先生演诸家拳法。良久，先生笑曰：“如此可与君一试？”乃折竹为刀，对舞，不数合，击中其腕。木天大惊曰：“技至此乎！”又与深言经济，木天倾倒下拜。次日令其长子珖、次子顺、季子贞，执贽从游。

王源《颜习斋先生传》载曰：商水李子青，大侠也。馆先生，见先生携短刀，目曰：“君善是耶？”先生谢不敏。子青曰：“拳法，诸技本，君欲习此，先习拳。”时月下饮酣，子青解衣，演诸家拳数路。先生笑曰：“如是，可与君一试？”乃折竹为刀舞，相击数合，中子青腕。子青大惊，掷竹拜伏地曰：“吾谓君学者尔，技至此乎！”遂深相结，使其三子拜从游。

④ 观此……未必适于用也：将“专中腕臂”的不传之剑术精要，与“容观虽美”的市井剑舞区分开来。

吾师蕲水微明陈先生，以儒者而精太极拳，所著《太极拳》一书，流行甚广。太极拳者，由外家翻①之，静中求动，柔以克刚，所谓内家拳是也。太极剑即本太极拳之意思，用之于剑。

盖剑之为用，尽于一击一刺，左右前后，上下进退，皆击之事，皆刺②之事也。击之事，有正有反；刺之事，有冲有剪。外家剑如是，内家剑亦如是。[3] 惟外家剑之击刺，恒动。内家剑之动，于静求之，守如处女，出如脱兔，后人发，先人致也。[4] 外家剑之击刺，恒刚。内家剑之刚，以柔济之，因势变化，莫可端倪，当之则决，按之仍虚也。[5] 故太极剑之用，不在于能击能刺，在于击而不击，刺而不刺。而其妙处，则不击而击，不刺而刺。驯至[6]于我不必击人也，人之击，我即为人之自击；我不必刺人也，人之刺我，即为人之自刺。忘人忘我，忘手忘剑，运用于无心。然后可以直之无前，举之无上，按之无下，运之无旁，[7] 藏于九地之下，动于九天之上，[8] 顺自然之极致，莫能与之争锋。

注释

① 翻：翻作新声，变换花样之意。

② 刺：当为“刺”。后同，不另注。

③ 盖剑之为用……亦如是：以一“击”、一“刺”，概述剑的技法，与吴殳以一“戳”、一“革”概述枪法精要，有异曲同工之妙。

④ 惟外家剑……先人致也：以剑术的运动态势，来区分内外家剑法的击刺要义。外家剑的动，以常态的动为动；而内家剑的动，则静中求动，后发先至。

⑤ 外家剑……按之仍虚也：以剑术的作用方式，来区分内外家剑法的击刺要义。外家剑以强硬的方式作用于人，而内家剑则以柔济之，因势变化。

⑥ 驯至：也作“驯致”。循序渐进，而逐渐达到某种境界。《易经》坤卦：“履霜坚冰，阴始凝也。驯致其道，至坚冰也。”

⑦ 然后可以……运之无旁：意为然后可以向前直刺，了无阻挡，向上举提，无物拦扫，按剑向下，无所截格，左右挥运，旁若无物”。语出《庄

子·说剑》。原文如下：

昔赵文王喜剑，剑士夹门而客三千余下，日夜相击于前，死伤者岁百余人，好之不厌。如是三年，国衰，诸侯谋之。太子悝患之，募左右曰："孰能说王之意止剑士者，赐之千金。"左右曰："庄子当能。"太子乃使人以千金奉庄子。庄子弗受，与使者俱，往见太子曰："太子何以教周，赐周千金？"太子曰："闻夫子明圣，谨奉千金以币从者。夫子弗受，悝尚何敢言！"庄子曰："闻太子所欲用周者，欲绝王之喜好也。使臣上说大王而逆王意，下不当太子，则身刑而死，周尚安所事金乎？使臣上说大王，下当太子，赵国何求而不得也！"太子曰："然。吾王所见，唯剑士也。"庄子曰："诺。周善为剑。"太子曰："然吾王所见剑士，皆蓬头突鬓垂冠，曼胡之缨，短后之衣，瞋目而语难，王乃说之。今夫子必儒服而见王，事必大逆。"庄子曰："请治剑服。"治剑服三日，乃见太子。太子乃与见王，王脱白刃待之。庄子入殿门不趋，见王不拜。王曰："子欲何以教寡人，使太子先焉？"曰："臣闻大王喜剑，故以剑见王。"王曰："子之剑何能禁制？"曰："臣之剑，十步一人，千里不留行。"王大悦之，曰："天下无敌矣！"庄子曰："夫为剑者，示之以虚，开之以利，后之以发，先之以至。愿得试之。"王曰："夫子休就舍，待命设戏请夫子。"王乃校剑士七日，死伤者六十余人，得五六人，使奉剑于殿下，乃召庄子。王曰："今日试使士敦剑。"庄子曰："望之久矣。"王曰："夫子所御杖，长短何如？"曰："臣之所奉皆可。然臣有三剑，唯王所用，请先言而后试。"王曰："愿闻三剑。"曰："有天子之剑，有诸侯之剑，有庶人之剑。"王曰："天子之剑何如？"曰："天子之剑，以燕溪石城为锋，齐岱为锷，晋卫为脊，周宋为镡，韩魏为夹；包以四夷，裹以四时，绕以渤海，带以恒山，制以五行，论以刑德，开以阴阳，持以春秋，行以秋冬。此剑，直之无前，举之无上，案之无下，运之无旁，上决浮云，下绝地纪。此剑一用，匡诸侯，天下服矣。此天子之剑也。"文王芒然自失，曰："诸侯之剑何如？"曰："诸侯之剑，以知勇士为锋，以清廉士为锷，以贤良士为脊，以忠圣士为镡，以豪杰士为夹。此剑，直之亦无前，举之亦无上，案之亦无下，运之亦无旁；上法圆天以顺三光，下法方地以顺四时，中和民意以安四乡。此剑一用，如雷霆之震也，四封之内，无不宾服而听从君命者矣。此诸侯之剑也。”王曰：“庶人之剑何如?”曰：“庶人之剑，蓬头突鬓垂冠，曼胡之缨，短后之衣，瞋目而语难。相击于前，上斩颈领，下决肝肺，此庶人之剑，无异于斗鸡，一旦命已绝矣，无所用于国事。今大王有天子之位而好庶人之剑，臣窃为大王薄之。”王乃牵而上殿。宰人上食，王三环之。庄子曰：“大王安坐定气，剑事已毕奏矣。”于是文王不出宫三月，剑士皆服毙自处也。

⑧ 藏于……九天之上：语出《孙子兵法》形篇：“善守者，藏于九地之下；善攻者，动于九天之上，故能自保而全胜也。”善守者，能利用坚固的山川丘陵等之地利，藏于九地之下；善功者，则能利用风雷云雨等之天时，动于九天之上。

韫玉[1]幼读儒书，慕颜习斋之为人，略习武术，乏名师指导，毫无家法。十五年从先生游，循循善诱，得稍知内家之门径。[2] 顾年已及艾，筋骨渐僵，仅心能知之，口能言之而已。[3] 兹先生《太极剑》成书，命韫玉序之，因谨述如上，不能必知言之果无误也。[4]

民国十七年[5]一月 受业[6]泾县胡韫玉朴安谨书

注释

① 韫玉：此序作者胡朴安先生的学名。

胡朴安（1878—1947 年），本名有忭，学名韫玉，字仲明、仲民、颂明，号朴安、半边翁。泾县人。幼承家学，精研经史训诂，辛亥革命前抵沪，参加《民立报》等工作，任职于国学保存会掌管藏书。1912 年秋，应黄兴之邀请，任教于中国公学。1914 年，去福建任巡阅使署秘书，主办教育，不久告假返回中国公学继续任教。1916 年，去北京交通部任秘书职。1919 年，他与汪子实上海发起组织南社之分支“鸥社”。1926 年，出任《民国日报》社社长。1930 年，应叶楚伧之邀，出任江苏省民政厅长之职，供职二年后，自呈辞职书，返回上海，继续任教于大夏、复旦、东吴、暨南、上海、持志等大学。1937 年，任上海《正论社》社长。1940 年 4 月，患脑出血，病废家居，撰《病废闭门记》。《民国日报》复刊后，复任馆长，并任上海通志馆馆长。著有《中国训诂学史》《中国文字学史》《诗经学》《周易古史观》《儒道墨学说》《戴先生所著书考》《中华全国风俗志》等。

② 十五年……内家之门径：意为从民国十五年（1926 年）开始，跟从陈微明先生学习太极拳剑，先生善于有步骤地引导教育，我才得以稍稍窥得一点内家拳艺的门径。

③ 顾年已及艾……言之而已：艾，50 岁。《礼·曲礼》：“五十曰艾，服官政。”此句意为只是我年纪已经到了 50 岁了，筋骨开始有些僵硬，对于学习太极拳剑来说，只是心里能明白拳理，口能说得出道理来罢了。

④ 兹先生……无误也：意为现今先生的《太极剑》一书成稿了，嘱咐我来写点序言，于是就谨慎地讲了上面这些话。也不能保证上面讲的这些，就一定是没有差错的地方啊。

二水按：“不能必知言之果无误也”句，文辞貌则谦虚，实则是作者有意为后学设了一个迷局，他的言外之意是说，他的前述文辞中，有故意设置的乖谬处。如在引用颜习斋先生折竹为刀舞时，有意将刀改作剑，用以说事论理。对于“幼读儒书，慕颜习斋之为人”的朴安先生而言，他为学精研，学人严谨，按常理不会误刀为剑的。引文时，在无关紧要处或阐作别论，或有意乖谬，也是古代文人惯用之习。

⑤ 民国十七年：1928 年。

⑥ 受业：从师学习，或弟子对老师的自我称谓，也称门人。语出《孟子·告子下》：“交得见于邹君，可以假馆，愿留而受业于门。”

太极剑术序

微明先生既作《太极拳术》行于世，世之人读其书以求其术，而获却病延年者遍海内。① 近复著《太极剑术》一书，届稿竟，转由汤子悟庵，索序于予。② 予于剑术诚门外汉，顾能通其意，盖予固服膺三丰祖师之道者也。③

注 释

① 微明先生……遍海内：意为陈微明先生之前的大作《太极拳术》刊行之后，社会上很多人通过读他的书，而去探求太极拳的练习方法，从而获得却病延年的功效，这样的人，遍及海内外。

② 近复著……索序于予：意为近来又著述了《太极剑术》一书，到书稿完工时，通过汤悟庵先生，来要我为他写序言。

二水按：汤悟庵（1891—1970 年），名震龙，字悟庵。湖北浠水人，汤聘莘六子。早岁赴美留学，历任武汉商埠公署工程处处长、华阳义赈会湖北分会督办、汉川城隍港堤工工程督办等，国民政府救济水灾委员会第十六区工赈局局长。从陈微明学太极拳。大哥汤化龙，字济武。历任湖北省谘议局议长、湖北省军政府民政总长、南京临时政府陆军部秘书处长、北京临时参议院副议长、众议院议长、教育总长兼学术委员会长。1918 年出国考察时，在加拿大维多利亚市被国民党人王昌刺杀身亡。二哥汤芗铭（1885—1975 年），字铸新。晚朝海军将领、民国军事将领及政治家。晚年从事佛学研究，1975 年在北京逝世。

③ 予于剑术……之道者也：意为对于剑术而言，我实在只是门外汉，但能懂得一些基本道理，原因是我诚心信奉张三丰祖师爷的道学。

晚近羽流，徒袭形貌，自归淘汰，而不知真道所在与儒佛同源，别有神妙，不可思议之理。[1] 卓然特立于天地间，不求显，亦不求竞，知者自知，不知者，不强知，一任缘法离合，为真理之推移，太极剑术，其一端也。[2]

注释

① 晚近羽流……不可思议之理：意为近来的道士，只是外貌服饰上照着仙道的样子，自行将仙道实质内涵给淘汰掉了，却不知仙道真正的内涵，其实与儒学、佛教同出一源，又别有奇妙变化，令人不可思议处。

② 卓然特立……其一端也：意为真正的道学，超然卓越，屹立在天地之间，它不刻意显山露水，也不竞胜争能，知道的人自然会知道其妙，不知道的人，也不强求他们来了解，一切都听凭因缘际会，以缘分的聚散离合，作为大道真谛变化发展的规律，太极剑术，就是这种道学的一个方面。

太极剑术与太极拳术，皆为武当嫡派，故太极剑术之步法手法，略如太极拳之法。不过一徒手[1]，一用剑耳。其法虚灵超脱[2]，绵绵不断[3]，凝神敛气[4]，归于自然，与外家剑术迥乎不同。洵非真仙之遗传，不能臻斯神境也。[5]

注释

① 徒手：空手。

② 虚灵超脱：虚怀空灵，超凡脱俗。

③ 绵绵不断：绵绵若存，用之不勤。

④ 凝神敛气：聚精会神，敛气归魂。

⑤ 洵非……斯神境也：倘若不是真仙一代代承留下来的话，实在是不可能达到这种神妙的境界。

予尝笺《三丰全集》至《无根树丹诀》诸篇，觉其玄微精奥，神鬼争啼，真有如说此法，天龙八部，群相警疑之旨。[1] 而祖师之苦口婆心，虽千万世，昭然若揭也。[2] 惜乎众生僬扰，业因山积，亡羊歧路，予欲无言。[3] 苟能本此册以寻端绪，则岂特可藉国技以强种，抑亦可返真道以救国。先生之功诚伟矣哉！[4]

戊辰春，求物治斋主人黄太玄[5]序

注释

① 予尝笺……警疑之旨：意为我曾注释《三丰全集》到《无根树丹诀》等篇章，就觉得道学神秘莫测，精微深幽，像是神鬼一齐在啼鸣，有惊天地泣鬼神的庄严法相，真的就像佛陀在宣法讲经时一样，娑婆世界中，天、龙、菩萨、声闻、人与非人等，大家都纷纷显露惊讶疑惑的意思来。

② 而祖师……昭然若揭也：意为仙尊祖师之慈悲的教诲，耐心反复，语重心长，即便经历了千百年，依然像是日月悬挂于浩瀚天空之中，明明白白，清清楚楚。

③ 惜乎……予欲无言：意为可惜因为世事动荡，人心开始躁乱，各种孽恶因缘，像山一样越积越高，人们就像是迷途的羔羊，误入山谷之中，盘旋在岔路上，迷失方向。此情此景，就像孔老夫子一样，只能保持沉默，“我无话可说了啊”。

④ 苟能……诚伟矣哉：意为倘若人们能够通过阅读这本书，而找寻出一些线索，那么就不只是可以凭借这项传统文化精髓，来增强我们的民族自尊，也可以将我们的国家从迷途中走出来，找到正确的拯救国家之路。先生的功劳，实在是太伟大了啊！

⑤ 黄太玄（1866—1940 年）：字履平，号剑秋，自署玄翁，求物治斋主人等，室名今野史亭，黄山人。作家，文章散见民初《大共和日报》《小说时报》《大众》等。擅书画，精辞藻，师从张裕钊。曾为刘三勘订《黄叶楼遗稿》，为吴杏芬作《唐母吴太夫人家传》，为钱名山作年谱。当时沪上被公认在书画界文笔最好的人，书画家每有文字之需，或多有求于他。

太极剑序

易曰："苟非其人，道不虚行"①，此言传道之难，其人也难。虽技艺，亦然。黄百家《内家拳法》言五不可传，心险者居其首。②

余游京师，闻广平杨氏精太极拳，心慕之。问之与杨氏稔③者，皆言杨氏不肯传人，而杨氏之徒，言亦若是，岂不异哉！及遇杨澄甫先生，从之学，始知杨氏非不传人也。嗟夫，以得杨氏之传食其技者④，乃诬其师门，造种种不实之事，闻之者，即据以作为笔记小说，其居心，非百家所谓不可传者耶？⑤

注释

① 苟非其人，道不虚行：语出《易经·系辞》："《易》之为书也不可远，为道也屡迁，变动不居，周流六虚，上下无常，刚柔相易，不可为典要，唯变所适。其出入以度，外内使知惧。又明于忧患与故。无有师保，如临父母。初率其辞而揆其方，既有典常。苟非其人，道不虚行。"意思是说《易经》这本书所揭示的"道"，广大悉备，却非一成不变。"道"，周流六虚，上下无常，刚柔相易，所以不能用程式化的思路来看待它。只有"变"，才是大道唯一不变的法则。外内、出入、隐显、形藏、屈伸、往来，一一皆

以把握阴阳屈伸、消息盈虚的“度”为适应变化之准则。知道了这一道理，就能依循卦爻之辞而揆度其道义，才能使知惧而明忧患，易学之“道”，也就有典常可寻了，即便没有老师教导，也会像是孩子始终有父母在身边一样。所以说，“道”虽然是客观存在着，倘若没有合适的人来体悟此“道”，那么“道”学，是不可能凭空流行于世的。

② 此言……心险者居其首：微明先生认为《易经》的这句话，一方面在说，作为学生，要传承“道”学是一件非常不容易的事；另一方面，作为老师而言，要找到一位合适的传承者，也难。虽然说，太极拳剑只是一门技艺，其实都会面临这个问题。所以黄百家的《内家拳法》中有“五不可传”的规定，“心险者”排在是第一。

二水按：微明先生所指的黄百家《内家拳法》，其实是张潮辑《昭代丛书》时，将黄百家《学箕初稿》本之《王征南先生传》，芟其首尾，更名作《内家拳法》。此书云：“征南先生有绝技二：曰拳，曰射……先生亦自绝怜其技，授受甚难其人，亦乐得余而传之。有五不可传：心险者、好斗者、狂酒者、轻露者、骨柔质钝者。”

③ 稔：熟悉。

④ 以得杨氏之传食其技者：得到了杨氏拳艺，依靠传授此拳艺来养家糊口的那些人。

⑤ 其居心……不可传者耶：他们的居心，不就属于黄百家“五不可传”所说的“心险者”吗?

杨澄甫先生传余太极拳剑，拳术已付梓流行，今复将剑术笔述成书，公之于世。此亦澄甫先生之志也。

太极剑之姿势，均以拳之姿势为基础。其非太极拳之姿势，亦有名为太极剑者，则余不敢知已。

前闻李芳宸将军精剑术，得异人之传授，孙禄堂先生尝称之。今年将军过沪，往见焉。[①] 将军为人特俊爽，慨然以二人比剑之法相授。观其意，全运用腰腿，与太极拳之推手听劲无异。惟有时剑不粘连，相离半寸许耳，真武当太极剑法也。澄甫先生所传，无二人相比之定法。得此则太极剑之体用备矣。俟[②]习之精熟，再述为书，以饷[③]世人。

丁卯冬十二月 陈微明识

注 释

① 前闻……往见焉：意为之前听说过李芳宸将军精于剑术，得到了传奇高人的传授，孙禄堂先生也曾赞赏过他。今年，李将军到了上海，于是就去拜访了他。

二水按：李景林寓居上海后，看到“武当太极拳社”的“武当”名号，因为李将军之剑术得传武当山第十三传陈世钧先生所授，所以就由副官带了他的名片到了武当太极拳社。叶老师一看名片，是三年前孙禄堂跟他说起过的精通武当剑术之李将军，觉得机缘来了，于是就拜他为师。后来又介绍了陈微明、陈志进等向李将军学习武当对手剑法。叶大密老师《柔克斋太极传心录》里“记奇遇李景林将军”一文，详载此事：

丁卯（1927 年）十一月某日，突来一不知姓名之客，持硃红色大名片访余，顾视之，原是三年前形意、八卦、太极名家老前辈孙禄堂老伯所说精通武当剑术之李芳辰（宸）将军。今得此机会，惊奇靡已。

来使遂偕余至祁齐路（今岳阳路）寓所拜见将军，一望而知是儒者风度之大将，无赳赳武夫气象。后观余练杨家太极拳剑毕，叹曰：“不失武当真意，曩日在奉直各省所见者，夹有八卦、形意，非纯粹之太极可比。”回顾左右眷属及侍从者云："尔辈不习此拳，难得余剑之真传。"言罢，随手取剑起舞，矫若神龙，变化莫测，清灵高雅，叹为观止。当即恳求执弟子礼，果允所请，为余一生之大幸事。

时陈微明、陈志进诸友在沪办致柔拳社，约往学习，以资提倡。

查《宁波府志》及清黄宗羲《王征南墓志铭》均未提及武当剑事，足见太极拳、武当剑早已分传：习太极拳者不习武当剑；习武当剑者不习太极拳。今余曾将拳剑两者兼而习之，一如原来不分散之面目，李老师之功也。爰作斯文，以期不忘云尔。

（一）李老师武当剑系武当山第十三传陈世钧先生所授，先生皖北人，为袁世凯幕友。

（二）武当剑学习法：初习对剑分五路；次活步以十三势随意对击，但须剑不见剑；最后舞剑，行气似流云，极自然之妙。

师云："配琴舞之，更有古雅之趣，不同凡俗，他剑焉能道此。"

丁卯冬紫霞山人叶大密识于武当太极拳社

② 俟：待也，等到。

③ 饷：飨也，分享。

太极剑目录

太极剑起势　三环套月　大魁星　燕子抄水　左右拦扫　小魁星　燕子入巢　灵猫捕鼠　蜻蜓点水　黄蜂入洞　凤凰双展翅　左旋风　小魁星　右旋风　等鱼式　拨草寻蛇　怀中抱月　宿鸟投林　乌龙摆尾　风捲荷叶　狮子摇头　虎抱头　野马跳涧　翻身勒马　上步指南针　迎风拂尘　顺水推舟　流星赶月　天马行空　挑帘式　左右车轮剑　大鹏单展翅　海底捞月　怀中抱月　夜叉探海　犀牛望月　射燕式①　白猿献果　凤凰双展翅　左右跨拦　射雁式　白猿献果　左右落花　玉女穿梭　白虎摇尾②　虎抱头　鲤鱼跳龙门　乌龙绞柱　仙人指路　风扫梅花　虎抱头　指南针　抱剑归原

注释

① 射燕式：系“射雁式”之误。

② 白虎摇尾：系“白虎搅尾”之误。

太极剑

太极剑起势

左手执剑：拇指、中指、无名指、小指，握剑云头[①]。食指下垂，贴剑柄[②]。剑平面[③]贴臂后面，剑尖朝上。右手下垂。身正立，向南，如太极拳初起势。如第一图。

注释

① 云头：剑之首。相对手所执握的上端，谓之剑首；手所执握的下端，则谓之剑后，也叫剑镡。

《考工记》云："桃氏为剑，腊广二寸有半寸，两从半之。以其腊广为之茎围，长倍之。中其茎，设其后。参分其腊广，去一以为首，广而围之。"郑司农云："谓剑脊两面杀趋锷。茎，谓剑夹，人所握，镡以上也。谓茎，在夹中者，长五寸。”戴东原注云：“腊，谓两刃。剑两刃、两脊分其面为四通，谓之腊。其面平，故言广。广，即围也。刃后之铤曰茎，以木傅茎外，便持握者，曰夹。后，谓剑环，即镡也。在人所握之下，故名后。与人所握之上，名首。相对之称也。中其茎，设其后者，镡。大于茎，令茎在中而设之，不偏左右也。”

② 剑柄：中间的茎，谓之铤。外面包裹的木柄，谓之夹。

③ 平面：剑身平广的腊。剑身中间有脊，脊将剑身分作两面，面广而平，称作腊。腊之锋利刃口，谓之剑锷。

三环套月

右手捏剑诀：食、中二指并直，无名指、小指，屈于掌心，拇指屈按无名指头节处。如太极拳之搂膝拗步。腰往下松。右手随腰往后圆转而上，转由右耳边指出。左手握剑，同时随腰而上，由胸前往右，转至左膝处，剑仍贴臂向后。左足同时往东迈一大步，腰随手前进，左腿坐实。如第二图。

图 2　三环套月

左手握剑，直穿至右手上。右足同时前迈一小步，足尖点地，仍坐右腿①。此式如太极拳之上步七星。如第三图。

两手同时两边分开，转一圆规，复合于前面。左足同时前迈一大步坐实。此式如太极拳之双风贯耳。如第四图。

图 4　三环套月

图 3　三环套月

注释

① 仍坐右腿：或系“仍坐左腿”之误。

二水按：右足前迈一小步，足尖点地，如太极拳之上步七星，此时，无论从文字还是图片来看，应该是仍然坐在左腿上。结合上势，“左腿坐实”句，此处“仍坐右腿”的“仍”，应该是“仍坐左腿”之上。但下势中，从“左足同时前迈一大步坐实”来看，仍然坐实的左脚，是不可能直接同时前迈一大步坐实的。所以，从前后文来分析，此处缺失了一个虚实转换的动作。而且“右足同时前迈一小步”的“前迈”，其实也应该是向右前方迈步，之后，“左手握剑，直穿至右手上”时，理应是手随腰一齐向右前方，直至将重心移到右脚坐实。

大魁星

右手与左手相合，随即将剑转换于右手。右手执剑，直面（剑刃向上下谓之直面）往下、往后转一大圆规。左手随捏剑诀，随右手在里，同时转一大圆规。眼神看剑尖，随剑转动。右手不停，往后往上，将剑转至头上，仍是直面，剑尖向东，剑要极平①。左手捏剑诀，转至前面，两指向上。② 坐实右腿，左腿提起，足尖向下。眼神亦转向东看。此式如太极拳之金鸡独立。如第五图。

图5　大魁星

注释

① 剑要极平：武当对手剑法中，谓之“提”。提者，擿之使扬也。

② 左手捏剑诀……两指向上：剑乃君子器，左手捏剑诀，指哪打哪，意有“看打”诸类的预警效用。剑，也为兵器诡道，亦可声东击西。但手捏剑诀，两指向上指天，则不可。以手指天而画地，此无畏也，为民俗所禁忌者。

燕子抄水

右手执剑，直面往西南砍①去，随转向下，愈低愈好，扫地而起，转为平面②（剑刃向左右谓之平面），剑尖向东南，略朝上。③ 眼神与腰亦随之而转。左手捏剑诀在里，随右手而转至额上。左足同时向东北迈出坐实，步之距离，与太极拳之玉女穿梭相同。如第六图。

图6　燕子抄水

注释

① 砍：武当对手剑中，谓之“击”。击者，敲之使退也。

二水按：吴修龄《手臂录》之后剑诀云：“剑术真传不易传，直行直用是幽元，若唯砍斫如刀法，笑刹渔阳老剑仙。”杨式《太极剑歌》袭用此诀，改作：“剑法从来不易传，直来直去胜由言，若仍砍伐如刀者，笑煞三丰老剑仙。”剑器轻清，其用大与刀异。不管是后剑诀还是太极剑歌，都是不主张剑法像刀法一样砍斫劈伐。

② 扫地而起，转为平面：武当对手剑中，谓之“压”。压者，镇之使定也。

③ 剑尖向东南，略朝上：武当对剑中，谓之“洗”。洗者，由下掠上也。

右拦扫

图7　右拦扫

右手执剑，往上往北斜面转动，又向下转，转为平面，至与左肩平时，随往东南平砍[1]，剑仍平面，剑尖向东北。左手捏剑诀，随右手转动，距右手腕二三寸许。右足同时向东南迈出坐实。眼神与腰，亦随剑转动。此式如太极拳之玉女穿梭。如第七图。

注释

① 平砍：武当对手剑中，谓之“抽”。抽者，拔于后也。

左拦扫

右手执剑，往南平面转动，又略向下转，仍为平面，转至与右肩平时，随往东北平砍[①]，剑仍平面，尖向东南。左手捏剑诀，随右手转动，距腕二三寸许。左足同时向东北迈出坐实。眼神与腰，亦随剑转动。此式如太极拳之玉女穿梭。如第八图。左右拦扫，或二次或四次均可。

图 8　左拦扫

注释

① 平砍：见“右拦扫”之注。

小魁星

图 9　小魁星

右手执剑，由平面转为直面，往上、往北又往下转动。右足往东南迈，足尖向南，坐实右足；左足亦往东南迈出，足尖点地。右手提剑不停，由下而起，转至头上，剑仍直面，剑尖斜向下，亦向东南。左手捏剑诀，同时随右手转动，两指向上，与大魁星同。如第九图。

燕子入巢

图 10　燕子入巢

右手执剑，往下、往后圆转。右足用足尖，亦随之往后，转向西北。左足斜向西北前迈，坐实。左手在里，随右手转至后面时，即放开，托右手背，两手托剑，往西北平面刺出。此式如太极拳之指膗锤。如第十图。

注 释

① 膗：当作“裆”。后同，不另注。

灵猫捕鼠 蜻蜓点水

两手托剑回收[①]。右足提起，足尖斜向下，如第十一图，旋即踢出，极力向西北迈去。左足腾起，向前一点。右足又往前一跃。右手之剑，同时向西北平面刺去。左手捏剑诀，转至额上。右足坐实。如第十二图。右手之剑刺出后，又略收回，向前一点[②]，此之谓蜻蜓点水[③]。此式如太极长拳之右扇通臂。

图 11　灵猫捕鼠 蜻蜓点水

注释

① 托剑回收：有“压”剑之意。

② 点：武当对手剑点剑中，点者，制之于上之谓。

③ 蜻蜓点水：严履彬《太极剑》补正稿载“蜻蜓点水”式：继灵猫捕鼠之势，将左足略提起，即落地坐实(不提亦可)，足尖斜向下。右手之剑，随提右足之势略收回。右足旋即踢出，向西北迈去着地后，左足即腾起，向前一跳，右足继之再向西北进一步坐实。右手之剑，乘右足前跃坐实之势，向前朝下一点。左手捏剑诀，仍在额前未动，余如前势。

图12　灵猫捕鼠　蜻蜓点水

二水按：微明先生弟子严履彬，遵师嘱，曾对《太极剑》数势都有补正。1959年10月，微明先生弟子梁溪荣如鹤先生，从严履彬赠贻同学张海东的抄本中，抄录后，赠贻李祖定。李祖定系微明先生女婿，他与微明先生女儿陈邦琴夫妇两人，曾从家师慰苍先生学习太极拳，复将此补正稿，抄赠家师。

黄蜂入洞

右足跟转动，使足尖向南。右手执剑，随腰转向北，眼转向西北看。左手屈抱。右足又用足尖旋转一周。左足提起，亦旋转一周。复往西北迈去。右手与左手，同时随身旋转一周，左手仍放开，托右手背，两手托剑，往西北平面刺出。坐实左腿。参观第九图[①]。

注释

①第九图：当为“第十图”。

二水按：第九图是小魁星之成势图，坐实右脚，而左脚脚尖点地。而此式，坐实左腿，两手托剑，平面刺出，像是燕子入巢之成势。

凤凰双展翅

左手放开，转至右手腕上相合，左手捏剑诀，手心向下。左足跟向北转。右手与左手分开，右手之剑，平面向东南削去[①]，在上。左手向西北分开，在下，左手心向下，右手心向上。右足亦向东南迈去坐实。此式如太极拳之斜飞式。如第十三图。

图13 凤凰双展翅

注释

① 向东南削去：武当对手剑中，谓之“截”。截者，阻之勿进也。

左旋风小魁星

右手执剑，由平面转为直面，往上往西北、又往下，随腰转动，[①]坐实左腿。右足提起，落下，足尖向南，坐实右足。左足往东南迈出，足尖点地。右手提剑不停，由下而起，转至头上，剑仍直面，剑尖斜向下，亦向东南。左手捏剑诀。同时随右手转动，两指向上。参观第八图[②]。

注释

① 右手执剑……随腰转动：武当对手剑中，谓之“揽”。揽者，能失敌之主张，居中御外，统领八方，似太极拳十三势之“中定”，武当对手剑之十三势，以揽为定，凡十二势之动作，皆兼而有之者也。

② 第八图：当为“第九图”。第八图，系左拦扫。第九图，系小魁星之成势。

右旋风等鱼式

右手执剑，剑直面往下、往后圆转。左足往后退一步。右手之剑，往后又转上、又转向东南，剑仍直面[①]。左手同时随右手转回，捏剑诀，离右手二寸许。右足同时退后一步，足尖点地，亦向东南。如第十四图。

图 14　右旋风等鱼式

注释

① 剑仍直面：此剑势，往后又向上时，右手握剑，手心朝上，随着手臂下沉之势，剑直面向下，剑锷前三分之一处，剑势往下扣击。此谓之“扣”。

拨草寻蛇

右手执剑，由直面随腰往左略转，渐变平面，又向右转回，往南砍[①]去，剑仍平面，剑尖向东，剑与手平。眼神与腰，亦随之而转。左手捏剑诀，随右手转动，距右手腕二三寸许。右足同时向东南迈出，坐实。眼神与腰，亦随剑转动，此式如右拦扫，惟剑低平，剑尖向东，略不同耳。参观第七图。

右手执剑，往右略转，又往左转回，剑仍平面，往北砍去，剑尖向东，剑与手平。眼神与腰，亦随之而转。左手捏剑诀，随右手转动，距右手腕二三寸许。左手[②]同时向东北迈出，坐实。眼神与腰，亦随剑转动，此式如左拦扫。参观第八图。

拨草寻蛇。可作三次或五次。

注释

① 砍：两处砍势，武当对手剑中，皆为“截”势。

② 左手：系“左足”之误。

怀中抱月

拨草寻蛇三次或五次，转至右面时，左足向后（即向西）退一步。右手之剑，往怀中里回，使手背向上者，变为手心向上。[①] 身随剑收回之势，坐实左腿，向下略低。右手执剑，近左肋处，剑平面，离身四寸许，剑尖向东。左手捏剑诀，亦随右手收回，略在右手之上。眼神向东。如第十五图。

图 15　怀中抱月

注释

①使手背向上者，变为手心向上：随着左足向后退步，手背向上者，变为手心向上，剑势有"抽""带"之意。武当对手剑中，抽者，拔于后也。带者，攻其虚而避之也。

宿鸟投林

左足[①]往前迈一步（即向东），身随右足[②]提起。右手执剑，往上刺去（亦向东），左手亦随右手向上，相距二寸许。左足提起，膝向西北，足心贴右腿，足尖向下。眼神随剑尖往上看。如第十六图。

图 16　宿鸟投林

注释

①左足：系"右足"之误。

二水按：承前怀中抱月势，左脚坐实，右脚呈脚尖虚点地之势，此时右脚可以向前迈进，而左脚则不便。

②右足：系"左足"之误。

二水按：后文"左足提起，膝向西北，足心贴右腿，足尖向下"，其实是对这一动作的进一步说明，非另一动作。

图 17　乌龙摆尾

乌龙摆尾

左足往后退一步（即向西退），身随左足坐下。右手[1]随左足提回，如等鱼式，足尖点地向东南。右手之剑抽[2]回，由平面而变为直面，抽[2]至右膝后，剑尖下垂，亦略向东南。左手捏剑诀，转至额上。眼神下视剑尖。如第十七图。

注释

① 右手：系“右足”之误。

② 抽：此两“抽”，在武当对手剑中，皆为“截”势。

二水按：此势，其用在剑锷前三分之一处，顺着身形后侧、曲张、摆扭，剑势呈现由上而下，由右上而落左，再掠向右下的S型轨迹，旨在退势之中，阻格对手之剑势于身形之外，谓之“截”。而剑之“抽”势，只是将因被对手截、压、提、格而受阻之剑，从后拔出。

风卷荷叶

右足向西南退半步，右手之剑，随右步退势，由直面往外，又向里裹[1]，转为平面。左足随右足收回，略点一步。右手之剑，裹[1]至肋下时，即向东北刺去。左足亦同时往东北迈去。左手本在额上，由额上同时往外、往下，转至心口，又往上翻，仍至额上。左右手足，皆同时变动，不可有先后。如第十八图。

注释

① 裹：两个"裹"字，非常精到。此势在武当对手剑，谓之"压"。压剑，以剑之平而广的两腊，其用在剑身中段三分之一处，其意则在剑首，由剑首通过剑脊，将剑势传达至剑腊，镇住对手之剑势，使之勿妄动，为后势之"刺"创造条件。

图 18　风卷荷叶

狮子摇头

左足尖转向东南，右手之剑，由手心向上，往肋内转至手心向下。剑尖本向东北者，转至剑尖向西北。右手之剑，往南往西转动。右足随右手转身，往西北迈去。右手之剑，同时往北砍[1]，剑尖向西，右手心仍向下。身向东北者，此时已转向正西。左手亦随右手转动，捏剑诀，距右手二三寸许。如第十九图。

图 19　狮子摇头

右手之剑，手心向下者，往右略转动，又往左转回，转至手心向上，剑仍平面，往南砍去，剑尖向西，剑与手平。眼神与腰，亦随之而转。左手捏剑诀，随右手转动，距右手腕二三寸许。左足同时略向后退半步，坐实。此式如太极拳之倒辇猴，惟步略开耳。如第二十图。

右手之剑，手心向上者，往左略转，又往右转回，转至手心向下，剑仍平面，往北砍去，剑尖仍向西，剑与手平。眼神与腰，亦随之转。左手同前。右足同时向后退一步，坐实。此式如太极拳之倒辇猴。如第二十一图。或退四步，或退六步，退至右足在后而止。

图 21　狮子摇头

图 20　狮子摇头

注释

① 砍：三处砍字，杨式剑势皆作“摇”势。武当对手剑中，皆为“抽”“带”之势。抽者，拔于后也；带者，攻其虚而避之也。或抽或带，皆为避虚就实之预备，所以，在抽带之中，倘若有机可乘，可点可击，可刺可劈。

虎抱头

右足退后时，两手向左右分开，又向内合。右手心向下者，向内合时，转至手心向上。右手之剑，转至胸前停住，左手在下，托右手背。左足坐实不动，右足提前，足尖点地，身仍向西。如第二十二图。①

图 22　虎抱头

注释

① 左足坐实不动……如第二十二图：文字描述与图式所示，于两足前后虚实处有讹误。

二水按：文字描述中：左足坐实，右足提前，足尖点地。而第二十二图演示的剑势，却是：右足坐实，左足提前，足尖点地。左右足正相反。

从虎抱头之剑势而论，此系右拦，上提之势，为后势之野马跳涧作铺垫，所以文字描述左足坐实，右足提前，足尖点地，正好为野马跳涧之右足提起，往西跃刺作预备。文字描述显然是正确的。微明先生此套剑势，似拍摄于寓所内之小天井中，场地局限，每势非动态中的剑势抓拍，系静态摆拍。摆拍时，两足之前后，因不受剑势驱使，极易混淆而致误。

野马跳涧

两手托剑回收，右足提起，往西跃刺，与灵猫捕鼠步相同，惟略往高跃耳。刺出时，两手仍托剑。参观第十图。

图 23　翻身勒马

翻身勒马①

两手托剑，剑平面往上起，由头上转过。身向西者，由右往左转，使面向东。右足跟转，坐实右足。左足提回，足尖点地向东。两手所托之剑，同时由头上平面落下回收。如第二十三图。

注释

①翻身勒马：严履彬《太极剑》补正稿载“翻身勒马”式：继前势“野马跳涧”，两手托剑，眼神向西平视，由前腿弓步，右足跟往左转，使足尖转向东南，身体随之转向东，左足稍提起，落下，略坐实，足尖亦向东。同时两手所托之剑，由西转动时，左右分开，又旋转向西如前，右手之剑转至胸前停住，左手在下托右手背。全体重心移于右腿坐实，左足随之略向后微收，足尖点地。眼神向东平视。

图 24　上步指南针

上步指南针

左足向前进一步，右足随上，与左足并齐。两手托剑，向前刺出，面仍向东。如第二十四图。

迎风拂尘[1]

右手之剑，向右转动，腰亦随转。又往左转回，剑平面往北砍去，左足前进。与左右拦扫相同，惟剑略高耳。[2] 或三次，或五次。参观第七第八两图。

注释

① 迎风拂尘：严履彬《太极剑》补正稿载“迎风拂尘”式：继前势“上步指南针”，右手之剑，向右转动，手心渐向外，剑亦由平面变为直面，剑尖往上斜向东南，右手之剑直面，续随腰往上转向西南，剑尖仍是斜向上，左手捏剑诀，同时与眼神亦转向西南。此时左足提起，向前迈进一步。右手之剑渐向下，手心斜向上，剑仍变为直面，随腰身由下渐上，转向东北，剑尖斜向上。左手捏剑诀，同时与眼神亦随之转向东北。右手之剑直面，由东北续随腰身转向西北，剑尖仍斜向上，手心向内。左手捏剑诀，与眼神亦随之转向西北。此时右足提起，向前迈进一步。右手之剑渐向下，手心斜向外，剑仍变为直面，随腰由下渐上，转向东南，剑尖斜向下。左手捏剑诀，同时与眼神亦随之转向东南（三次或五次均可，进步以左足在前而后至）。

② 与左右拦扫相同，惟剑略高耳：两势外形略似，其用则不同。

二水按：左右拦扫，剑势由下而上，意念由剑锷中节三分之一处，朝剑锷梢节前三分之一处变化，其用在一拦一扫。以武当对手剑法，惯以一抽一带，或拔于后，或击其虚。而此势迎风拂尘，重在一拂一撣。武当对手剑法，则以一截一击，有随击随过之意。

顺水推舟

迎风拂尘，转至左足在前时，右足往后退一步，左足随之后退，足尖点地。右手之剑，同时由斜平面，而转为直面，剑刃往下、往后，转一大圆规。① 左手捏剑诀，随右手在里，同时转一圆规，眼神看剑尖，随剑转动。右手不停，往后、往上，将剑转至头上，仍是直面，剑尖略向东北刺去。左足同时往东北迈一大步，坐实，足尖亦向东北。左手捏剑诀，转至前面，两指向上，眼神亦随剑尖往前看。此式如太极拳之扇通臂。如第二十五图。

图 25　顺水推舟

注 释

① 右手之剑……转一大圆规：此剑势在武当对手剑法中，是经典的“反崩”。

二水按：由下而上，翻腕将剑势作用于剑尖，以崩对手之腕膝处，谓之崩。崩剑时，持剑之右手，转臂捷用，手背转向内，小指朝上，由下而上翻动腕部，以少阳之剑势崩于对手腕膝处，谓之反崩。

流星赶月

图 26　流星赶月

左足跟往南转，使足尖向东南，右足同时往西北迈去。右手执剑，由头上往西北砍[①]去，左手同时亦分开向东南。如第二十六图。

注 释

①砍：宜作“劈”势。

二水按：“砍”系刀法，其劲力运于腕部，其用在刀刃之中段靠近刀柄处，意念由刀背贯穿至刀刃。而剑法中，砍伐之意，往往失去了剑器之轻清精妙。武当对手剑法中，大开大合的剑势，则用“劈”势，由上而斩下，其劲力由腰背而肩而肘，以肘使劲，将腰背之劲力，直接贯穿至剑锷之中节朝剑尖之前三分之一处，左手以掌灌劲，以助右手剑势。

天马行空

图 27　天马行空

右手执剑，手心向南，由下往北转上。[①] 左足往南迈一步，身即向南。剑同时不停，由后面从头上往南下砍[②]。左手同时与右手相合，以手心扶右手腕上。左足[③]亦同时往南迈一大步，足尖点地向南，眼神向南看。如第二十七图。

注释

① 右手执剑……往北转上：此势在杨式太极剑中为“撩”势，似武当对手剑法之“提”。

二水按：以剑锷之前三分之一处，转臂翻腕，粘黏着对手之剑，使对手之剑势扬起，而显露脸面、胸腹之门户。

② 砍：宜作“截”势。

③ 左足：系“右足”之误。

图 28　挑帘式

挑帘式

右足提起、落下，足尖与左足跟相对，成八字形，相离五寸许，使足尖向西北。右手将剑提起至头上，左手仍扶右手腕，剑尖斜向下。左足同时提起，足尖向下。如第二十八图。

左右车轮剑

左足落下，与右足成八字形，使足尖向西南。右手执剑，随腰往东转，由下而上，转一大圆规，眼神随剑尖转动。右足同时往西迈一大步，剑由上往西砍[①]去。左手同时与右手两边分开，向东，眼神随剑往西看。此式与流星赶月相同，惟方向不同耳。参观第二十六图。

右手执剑，手心向东，由下往东而上，转一大圆规。右足往西迈一大步，身即向西。剑同时不停，由后面从头上，往西下砍[①]，左手同时与右手相合，以手心扶右手腕上。左足亦同时往西迈一大步，足尖点地向西，眼神向西看。此式与天马行空相同，惟方向不同耳。参观第二十七图。

注释

① 砍：杨式太极剑此势作“轮刺”势，亦作“劈”“刺”势。

大鹏单展翅

右手执剑，往左略转，转至手心向上。左手转至右手腕上面相合，手心向下。① 左足跟往北转，使足尖略向东北，右足往东北迈去。右手之剑，由下渐渐而上，往东北平面削②去。左手随右手转至胸前，手捏剑诀向北，眼神亦向北看。如第二十九图。

图 29　大鹏单展翅

注释

① 右手执剑……手心向下：他家传承的杨家太极剑谱中，皆有“燕子啣泥”谱名。此势中略有“燕子啣泥”之意。

二水按：燕子衔泥势，取“乳燕掠泥轻”之意，“掠”字，道尽剑器轻清，“燕泥频掠过东家”，折返频掠，也取“闪赚”之意。在武当对手剑法中，转臂捷用，突然改变剑势方向，以剑锷之尖，如燕泥折返频掠，由上而下（可正可斜），轻取对手之颈、肩、腕、膝。

② 削：此剑势，可“撩”，可“刺”。

海底捞月

右手之剑，复往右转，略往下沈[①]，使剑尖朝上。左手捏剑诀，亦随之转，在右手肘里湾[②]略停。剑由直面，往外又向里裹，转为平面。左足提起、落下，使足尖向西南。右手执剑，裹至肋下时，即向正西刺去。右足同时往西迈去，足尖向西。左手同时转至头上。参观第十一图[③]。

注释

① 沈：同“沉”。

② 湾：宜作“弯”。

③ 第十一图：或“第十二图”之误。

二水按：第十一图，系灵猫捕鼠跃步前跳之前的预备动作，与上述动作要领不同。据微明描述的海底捞月式，或系似第十二图灵猫捕鼠之成势。在他家传承的杨式太极剑中，此剑势作由下而上划半圆形撩刺，而非裹至肋下时的平刺。在武当对手剑法中，持剑手腕上翻，手背朝下，剑势由下而上，作半圆上掠撩，谓之“洗”，也属于大开大合的剑势，意在从对手两腿间向上，朝胸腹脸面掠去，有“洗劫一空”之意。

怀中抱月

如前法。如三十图[①]。

注释

① 三十图：第三十图。脱"第"字。

夜叉探海

右足往西迈，身随右足往前。剑往西、往下刺去。左手亦随右手而下，相离二寸许。左足提起，眼神随剑尖往下看。如第三十一图。

图 31　夜叉探海

图 30　怀中抱月

犀牛望月

左足往东横迈一步。左手由下往东、往上，转一大圆规。右手之剑，由下提起，由西往东收回，在胸前，剑由平面而转为直面，剑尖仍向西。[①] 左手同时转至右手内相合，仍捏剑诀。左腿坐实，眼神仍向西看。此式如太极拳之披身伏虎。如第三十二图。

注释

① 右手之剑……剑尖仍向西：此剑势在退守中，寻得先机。武当对手剑法，势作抽带，从被制之境中，拔剑而出，另觅就虚避实之计。

射雁式

右足不动①。右手之剑抽回，抽至右膝后，剑尖向下向东南。左足同时随右足提回，足尖点地，亦向东南。左手同时提起在胸前，眼神及左手指，均向东南。如第三十三图。

注释

① 右足不动：杨式他家传承的太极剑，多以行功步，而非定式步。此势，右足易前上一步，至东南，左足随即跟进一步，成虚步。进步跟步的同时，剑势随身形的移动，以剑锷前三分之一处，由上而下压劈，或截至右膝外侧。

图 33　射雁式

图 32　犀牛望月

白猿献果[1]

左足向东南前进一步，右足同时前进，与左足并齐。右手之剑，由直面变为平面，向东南上刺。左手心托右手背。身直立，眼神仍向东南。此式与指南针相同，惟剑略高耳。参观第二十三图。

注 释

① 白猿献果：此势他家传承的杨式太极剑中，多作“青龙探爪”势。

二水按：白猿献果与青龙探爪两势，名称不同，剑势也各有千秋。青龙探爪，重在“探”字，进步跟步的同时，剑势随身形的移动，右手提剑直向斜上角斜刺，或斜击，左手拍击持剑之右腕，形成合力，以助剑势。而白猿献果，重在“献”字，右手平刺之剑，随身形稍稍后仰复原之势，双手也随之分开，再复合，而剑势随着转臂翻腕，剑尖完成了顺时针的小圈，有沿着对手颈项右向、左向轻轻点刺之意，之后右足跟进至左足并步，身形直立，右手之剑托平，手背向下，仿佛剑腊前端置一果实，躬身进献之意。

凤凰双展翅

此式变法如前，惟右步往西北迈，剑由西北削[1]去，两手分开。参观第十一图。

注 释

① 削：可作撩刺，或作崩剑势也可。

左右跨拦[1]

右足往南，横迈一步。左足随右足，亦往南横迈一大步。右手之剑，由西北往南收回，横在胸前，手心向上，剑仍为平面，剑尖向北。左手扶右手腕。如第三十四图。

左足往北横迈一步，右足随左足，往北横迈一大步。右手之剑，往左略转，随腰随步，往北转换，使手心向上者，变为手心向下，剑尖向北者，变为剑尖向南，横在胸前，剑仍平面。左手扶右手腕背。如第三十五图。

注释

① 左右跨拦：他家传承的杨式太极剑，有作“左右挂篮”势，音转成误也。此剑势也属于以退为进，以守为攻，与敌斡旋之计。剑势在随腰随步的变换中，势作抽带，避实就虚。

图 35　左右跨拦

图 34　左右跨拦

射雁式

向西北，变法如前[1]。

注释

① 如前：参见第三十三图。

白猿献果[1]

向正西，变法如前。

注释

① 白猿献果：参见前述白猿献果注①之“二水按”。

左右落花[1]

右手之剑，由左略转。右足往后退一步。剑亦随右足，向北往右砍，手心向上者，变为向下。左足复往后退一步。剑亦随左足向南往左砍，手心复变为向上。一切均如左右狮子摇头[2]，惟剑略低耳。参观第十七十八两图。

注释

① 左右落花：严履彬《太极剑》补正稿载“左右落花”式：继“白猿献果”之势，右手之剑，自前面向左转动，由平面变为直面，使剑尖略朝东南，手心向上复转下。右足往后略退一步，坐实。右手之剑，乘右足退步之势，随腰向北往右砍去，剑尖转向朝西，手与肩平。同时左手捏剑诀，距右腕背二三寸许，与眼神随腰转向西视。右手之剑，复随腰身略向右往后转动，使手心朝上，剑尖翻向东北，仍是直面略向下。左手捏剑诀，距右腕二三寸许，眼神亦随之转视。左足复向后退一步，坐实。右手之剑，乘左足退步之势，随腰向南往左砍去，剑尖转向下朝西，手与肩平。同时左手捏剑诀，距右手腕二三寸许，与眼神随腰转向西视。右手之剑，复随腰身略向左往后转动，使手心朝下，剑尖翻向东南，仍是直面略向下。左手捏剑诀，距右腕背二三寸许。右足复向后退一步，坐实（如增加势次，三步或五步均可，退至右足在后为止）。

② 狮子摇头：狮子摇头与左右落花，两势皆为退中求进之势，但剑势各异。狮子摇头，重在“摇”字，随腰步左右后撤之际，剑势随着中轴的又摇又转，以肘带剑锷之中段三分之一处，往前三分之一处作或抽或带，或点或击，或刺或劈。而左右落花，重在“落”字，随腰步左右后撤之际，肘不离肋，仅只依靠转臂翻腕，剑势专注于剑锷之前段三分之一处，粘对手之剑，圈由大而小，由高而低，剑势由抽带，改作搅压。倘若肘无定位之意，则剑势飘摇，状如刷洗马桶，对手剑势即可乘机，长驱而来，如入无人境。

玉女穿梭 白虎搅尾[①]

退至右足在后时，两手分开如前。将左足提起，转向南，迈一大步。两手旋相合，往南刺去，左手心托右手腕背[②]。如第三十六图。

右手与左手相合，左手在上，手心向下，右手执剑在下，手心向上。左足跟往西转，足尖向西。右手之剑，由南往北，平面削去，转至北时，剑往上转，使剑尖向上直立，剑平面向西。左手捏剑诀在胸前。右足略提起，往北移半步，足尖向西北，如大鹏单展翅。眼神向西看。③

图 36　玉女穿梭 白虎搅尾

注释

① 玉女穿梭 白虎搅尾：他家传承的杨式太极剑中，两势玉女穿梭与白虎搅尾分作两势。剑势至如第三十六图时，即为玉女穿梭。此后一节文字描述，似作白虎搅尾。

② 左手心托右手腕背：他家传承的杨式太极剑中，左手或展掌，或捏剑诀，披于额前，右手剑势向前斜刺，一展一束，一伸一曲，一开一合，犹如织女之穿梭。下文“右手与左手相合”也能佐证之前的穿梭，左手不应托于右手腕背。

③ 右手与左手相合……眼神向西看：此节文字，即为白虎搅尾势。

二水按：白虎搅尾，重在一“搅”字，以剑锷之前三分之一处，剑势由提变搅，再将对手剑势格之于身躯右外侧。格者，破其实而陷之也。格势，着意在剑锷之根节三分之一处，以转臂外旋，破对手剑势。所以其时，剑尖会上扬直上。

鲤鱼跳龙门

两手复相合，如虎抱头式，复向西跃去，如野马跳涧。参观第二十一图[1]。

注释

① 第二十一图：系"第十图"之误。

二水按：第二十一图，是"狮子摇头"式的第三图，微明先生称此式如太极拳之倒辇猴。而前述的"野马跳涧"式中，无图示，微明先生称"参观第十图"。第十图，即"燕子入巢"式。他家传承的杨式太极剑中，灵猫捕鼠、野马跳涧、鲤鱼跳龙门三式，皆作跳步跃进前刺势。剑势之中，皆有带、格、压、刺之变化。惟灵猫捕鼠作斜下刺，野马跳涧，跃远而格，鲤鱼跳龙门则跳高而格，两式皆作前平刺。三式左手皆展掌以助刺势，而非托掌合势。

乌龙绞柱

右手执剑，由平面向上，渐变为直面，向上向东，随腰转一大圆规，往东砍[1]。左手随转至胸前。如第三十七图。

剑不停，由东复转下，往西撩上。右足提起、落下，使足尖向西北。身随腰转，剑不停，复由西往上，往东砍[1]。如第三十八图。

剑仍不停，转至中间，复由外向肋里裹，剑变为平面。左足同时提起，往西迈一步。右足随提起，向西迈一大步。剑亦随右步，向西刺去。左手分开，提起在额上。

剑共转两轮，眼神亦随之而转，此式刺出，如灵猫捕鼠，惟中间转动不同。参观第十图。

图 38　乌龙绞柱

图 37　乌龙绞柱

注释

①砍：宜作“劈”。

二水按：乌龙绞柱，剑势随身形往复折转而抡转，由上而下的抡剑，以提、劈为攻守，由下而上的抡剑以崩、撩为攻守，剑势大开大合，步法身形轻灵活便，矫若游龙。

仙人指路[①]

左足往东横迈一步，以后动作，均如犀牛望月，惟右手之剑，由上收回，落在胸前，剑尖向上直立，平面向外。如第三十九图。

图 39　仙人指路

注释

①仙人指路：此式在他家传承的杨式剑谱

中，或分作“仙人指路”“怀中抱月”两式，或分作“仙人指路”“怀中抱月”“朝天一炷香”三式。

二水按：从微明先生文字描述来看，少了“仙人指路”的“指”，却有“怀中抱月”的“抱”和“朝天一炷香”的“炷”。仙人指路，重在一“指”，剑势轻清，以点刺，点到为止，适当其可。“怀中抱月”的“抱”，微明先生作“由上收回，落在胸前”，其实内含崩剑与抽带。“朝天一炷香”的“炷”，微明先生描述为“剑尖向上直立，平面向外”，其实内含“格”势，格势之中，一吞一吐，气韵生动。

风扫梅花　虎抱头①

右手之剑直立者，复转为平面，在左肋下，剑尖略向东，手心向下。左手在上，与右手相合。右足提起、落下，使足尖向西北。左足提起，往北，复往东，转一大圆规，如太极拳之转脚摆莲，转至面仍向南时，两手分开复相合，右足在前点地，如虎抱头式。

注　释

① 风扫梅花　虎抱头：他家传承的杨式太极剑，只作“风扫梅花”式，无“虎抱头”。从剑势而言，有拦、扫、带、截之变化。最后“两手分开复相合，右足在前点地”时，双手抱剑横于胸前，剑身应该斜向如怀中抱月式，不应该如虎抱头式。

指南针　抱剑归原①

右足前进，左足随之前进，并立。两手抱剑前刺，如指南针。右手之剑，交于左手。左手大指、食指尖向下，三指尖向上握剑柄，手心向外。剑平面贴臂前直立。左手执剑，将剑转至后面，如起势归原。参观第一图。

注释

① 指南针 抱剑归原：他家传承的杨式太极剑，在“指南针”至“抱剑还原”中间，还有“牙笏式”。

二水按：因为“指南针”式，双手抱剑前刺，呈向前平刺状，剑尾朝胸口的，右手之剑交于左手时，不可能“左手大指、食指尖向下”的，只能朝前。只有先将双手所抱之剑，坠肘立腕，使得剑身竖起，剑尖朝上，如古代大臣觐见皇帝时，双手捧牙笏的样子，左手转臂，才能将“左手大指、食指尖向下”，反执剑首，余三指握于剑茎，此时左手是“手心向外”。但是，无论如何，“三指尖向上”依然是不可能做到的。

太极长拳序

澄甫先生传余太极拳，复传余太极长拳，其中有数式，为太极拳内所无者，其余大概相同，惟转换之处，前后略变易耳，所以表示太极本无定法，亦无定形。[①] 太极拳及长拳，掤、攦、挤、按、採、挒、肘，七种劲均含在内，惟缺一靠劲[②]。余欲以大攦[③]之靠，加入拳内，思索数年，不得其连贯转接之法。今于无意中，忽然得之，相接之处，竟如天衣无缝。窃自欣喜。又以太极拳之有左式，而无右式者，有右式，而无左式者，均为加入。[④] 又见河南陈家所传太极，名为旧派者，其倒辇猴如搂膝拗步，左右退行，转身极为轻灵，亦加入，名为退步搂膝。共约一百零八式，取澄甫先生所传长拳而扩大之。[⑤] 不敢言有所发明，然于太极之意，有增多而无减少，有变换而无雷同，或者可为学者研究之一助焉。[⑥]

丁卯[⑦]冬月 微明识

注释

① 澄甫先生……亦无定形：澄甫先生传授我太极拳，又传授了我太极长拳，其中有几个式子，是太极拳里所没有的，其他都大致相同的，只是在每一式、每一动转换的过渡动作中，前后次序稍稍有些变化，用来表示太极之道原本就不存在固定的一成不变的法则，万事万物，也不存在固定的外形与态势。

杨澄甫（1883—1936年）：字兆清，永年广府人，生于北京。祖父杨露禅、伯父杨班侯、父亲杨健侯均为太极名家。幼承家学，秉承乃祖乃父遗风，兢兢业业，温和笃实。40岁方始出神入化，阶及神明。继北平传拳之后，南下武汉、南京、沪杭、广州，桃李满天下。集杨家三代拳学经验，为便于传播，他南下沪杭时，将太极拳逐步定型成定势架。此拳架，以其动作舒缓，伸展大方，气势磅礴，俗称杨式大架。

② 靠劲：太极拳基本劲别之一。接触点尽量不显动，而以中轴移动，来作用于对手，此谓之靠劲。杨澄甫老师定势架中，因为多系定式与定式之间的组合，少了中轴移动的各类变化，所以在其定式架中，诚如微明先生所言，“惟缺一靠劲”。但在田兆麟、牛春明等老师所传授的杨式中架为前提的诸类拳架中，靠劲常见于揽雀尾、白鹤亮翅、手挥琵琶、肘底捶、倒辇猴、斜飞式、翻身披身捶、撇身捶……乃至云手等等各类式势中。微明先生所称的大攦之靠劲，在叶大密老师所传授的拳架中，常见于揽雀尾斜掤前的过渡动作与白鹤亮翅前的过渡动作中。

③ 大攦：杨式太极拳教学体系中的一项推手训练。叶大密老师记录的杨澄甫大攦约言为：我捋他肘，他上步挤，我单手搧，他转身捋，我上步挤，他逃体；我一捋，他上步挤。

家师慰苍先生将训练体系，详细表述为进三步退三步：

你按我掤，你进步按，我退步採（捋），

你进步靠（挤），我转腰化（沉臂），我并步闪（挒）；

你并步提（掤），我进步按，你退步採（捋），

你并步靠（挤），你套步化（插裆），你并步按，

我并步提（挪、换手反向走）。

④ 又以……均为加入：又因为太极拳的式势中，有些只有左边的姿势，而没有右边的姿势，有些只有右边的姿势，而没有左边的姿势，我都将左右式势一一加进去。

⑤ 共约……而扩大之：共总一百零八个式势，是在澄甫先生所传授的长拳基础上，扩充补缺后编成的。

⑥ 不敢言……之一助焉：我不敢说有什么创造性的阐述或发挥，然而对于太极的意义而言，只有增多而没有减少，只有增加变化，而没有雷同重复的地方，或许可以作为太极拳学者，进一步研究拳技拳理有所帮助吧。

⑦ 丁卯：1927 年。

杨澄甫先生所授太极长拳目录

揽雀尾　扐手　搂膝拗步　琵琶式　进步搬拦锤　播箕式　十字手　抱虎归山　单鞭　提手　肘下锤　搂膝打锤　转身蹬脚　进步指膛锤　野马分鬃　进步揽雀尾　单鞭　玉女穿梭　揽雀尾　转身野马分鬃　转身单鞭下式　金鸡独立　倒辇猴头　斜飞式　提手　白鹤晾翅　搂膝拗步　海底珍珠　扇通臂　撇身锤　上步搬拦锤　进步揽雀尾　单鞭　扐手　单鞭　高探马　左右蹬脚　转身蹬脚　左右搂膝　双叉手　转身踢脚 左打虎式　双风贯耳　左蹬脚　转身蹬脚　上步搬拦锤　上步揽雀尾　高探马　十字腿　上步揽雀尾　单鞭下势　上步七星　下步跨虎　转身摆莲　弯弓射雁　上步搬拦锤　播箕式　十字手　合太极

增加太极长拳目录

太极起势　动步揽雀尾　抎手　搂膝拗步　右琵琶　换步搂膝　左琵琶　换步搂膝　右琵琶　进步搬拦锤　播箕式　双托掌　十字手　抱虎归山　肘下通臂锤　左归山　肘下锤　猴顶云　搂膝打锤　转身蹬脚　进步指挡锤　野马分鬃　动步揽雀尾　单鞭　玉女穿梭　转身野马分鬃　转身单鞭下势　金鸡独立　退步搂膝　斜飞式　提手　白鹤晾翅　搂膝拗步　海底珍珠　扇通臂　撇身锤　上步搬拦锤　动步揽雀尾　单鞭　抎手　单鞭　高探马　左右蹬脚　转身蹬脚　换步搂膝　换步栽锤　双叉手　翻身二起脚　披身伏虎式　回身蹬脚　双风贯耳　右蹬脚　转身左蹬脚　换步搬拦锤　如封似闭　进步双按　右单鞭　右抎手　右单鞭　下势　金鸡独立　倒辇猴　左斜飞　左提手　左晾翅　左搂膝　海底针　右通臂　撇身锤　进步搬拦锤　播箕式　双托掌　十字手　左抱虎归山　右单鞭　野马分鬃　进步肩靠　玉女穿梭　野马分鬃　进步肩靠 玉女穿梭　野马分鬃　进步肩靠　玉女穿梭　野马分鬃　进步肩靠　玉女穿梭　左右风轮　动步揽雀尾　单鞭　抎手　高探马　十字腿　左右搂膝打锤　左琵琶　弯弓射雁　进步搬拦锤　如封似闭　进步双按

左单鞭下势　七星脚　退步踢脚　转身摆莲　弯弓射虎　上步搬拦锤
播箕式　双托掌　十字手　合太极

动步揽雀尾

起势向南，如太极拳。惟搬回之时，左足略腾起，前进半步。挤出时，右足略腾起，前进半步。挤后两手收回时，左足复进半步，按出时，右足复进半步。

抎 手

按后，两手随腰，转一圆规，如太极拳。惟左手不作单鞭式，而作抎手。抎手共两次。第二次右手抎至左肩上时，复回下，而作搂膝拗步。面向东。

搂膝拗步、右琵琶、又搂膝拗步，均如太极拳。

换步搂膝

右足略腾起，落下。右手与左手，随势往右收，往下松，转一圆规。左足复略腾起，落下，左足尖向东北，坐左边腰。两手由右边复转上，左手由左边，往后转一大圆规，右手搂膝，左手按出，变为左势之搂膝拗步。

左琵琶

左足略腾起，落下，右足收回。两手亦同时往回收，右手在前，左手在后，变为左琵琶式。由左琵琶，复变为左势之搂膝拗步。

换步搂膝

左足略腾起，落下。左手与右手，随势往左收，往下松，转一圆规。右足复略腾起，落下，右足尖向东南，坐右边腰。两手由右边，复转上，右手由右边，往后转一大圆规，左手搂膝，右手按出，复变为右势之搂膝拗步。由拗步，复变为右琵琶式、进步搬拦锤，与太极拳无异。

播箕式

与如封似闭相同，惟两手按出时，手心平向下。

双托掌

右足略腾起，前进半步。两手左右分开，转一大圆规，转至两肋下，左足复腾起，前进半步。两手转至肋下时，两手心渐转向上，复向前托出。由双托掌变为十字手，如太极拳同。

抱虎归山

由十字手，变抱虎归山，亦与太极拳同，惟搌回挤出，两步仍腾起，前进半步。挤出后，不再按。左手仍靠右手，往前转一小圆规，腰亦随动，随即变为肘下锤，与太极拳转动皆相同。

肘下通臂锤

由肘下锤，右手不断，往上起至额前。右拳随右足，往前打出。其势如扇通臂，惟右足在前耳[①]。

注释

①耳：文言助词，“而已”，“罢了”之意。

左归山

右掌松开，往上转。右足尖亦转向东南，左足往东北迈去。右手由耳边按出，左手收回，在左肋下，如抱虎归山，惟在左面耳。搬回挤出，均如右边之抱虎归山，两步亦腾起，前进半步。变为左边之肘下锤，转动均如右法，右掌在前，左拳在肘下，右足在前。

猴顶云

右手松开，往后转，右足往后退，变猴顶云，与倒辇猴同，惟头略向上顶。退四次。

搂膝打锤

右足提起，略收回，落下，使足尖向东南。右手同时向左边下松，复圆转，向上折，转随腰往右握拳，左手搂膝。左足前进，右拳打出。

转身蹬脚

左足跟转动，使足尖向南。左手随腰向上，转至额前，手心向外。右拳收至左肋下，拳心向下。右足略提起，使足尖点地，向西南。两手分开，右右[1]向西蹬出。进步指膛锤，与太极拳同。

注释

①右右：系“右足”之误。

野马分鬃 动步揽雀尾 单鞭

右拳松开，与左手相合。右足往西北迈去。两手分开，作野马分鬃式。变为动步揽雀尾、单鞭，与太极拳野马分鬃后变揽雀尾相同，惟步走动。如第一式。

玉女穿梭

左足跟转动，足尖向南。左手向上，转至额前，手心向外，右手屈至左肋下。右足提起，收至左足处，足跟与右足尖相对，足尖向西，成一八字形。左手由额上往下，转一大圆规，右手沈[1]至右肋，左手转至右手处，复往上。左足往西南迈一大步。左手不停，转至额上，手心向外，右拳打出，如玉女穿梭，惟掌变为拳耳。以下转向东南、东北、西北四隅，均如太极拳之变动，均易掌为拳。由玉女穿梭，变为动步揽雀尾。

注释

① 沈：同“沉”。

转身野马分鬃

揽雀尾两手双按之后，不变单鞭，右手收回，转一小圆规，即往下分，手心向下。右足跟转动，使足尖向南，左足往西北迈一大步。左手与右手，同时转一大圆规，转至右手肋下时，随左足往西北分开，成野马分鬃式。右手复与左手相合，右足往东南迈，两手分开。共作野马分鬃六次，第七次分鬃，左步往正东迈去，左手亦往正东。

转身单鞭下势

由向东之野马分鬃，右手向下，转至东边，与左手相近处，两手复同时向上往西转，眼神随之。右手转至西边，变成吊手。身往下坐，在右腿上。左手作下势式。左右金鸡独立，亦与太极拳同。

退步搂膝

由金鸡独立，左足往后，往北迈，足尖向北，右足尖转向东北。左手搂膝，右手转一圆规，向北按出，转动均如搂膝拗步，惟面向正北耳。左足跟转动，使足尖向东南，右足往后，往南迈，足尖向南。右手搂膝，左手按出，面向正南。共打五次或七次，右步按出而止。变斜飞式、提手、白鹤晾翅、搂膝拗步，均如太极拳同。

海底珍珠 扇通臂

海底珍珠，与海底针同，惟右掌收回时，须随腰转一圆规，落下，用拳而不用掌。扇通臂亦与太极拳同，惟左步前进稍远，右足不离地，亦随之前进。

撇身锤、上步搬拦锤、动步揽雀尾、单鞭、抎手、单鞭、高探马，均如前。

左右蹬脚 转身蹬脚

由高探马，转右蹬脚，两手随腰转动而上。右手在前，在上，左手在后，在下，两掌斜对相合，手尖均斜向东南。两手复斜向下，转一小圆规相合。右足蹬出，两手分开。变左蹬脚时，两手随腰转动而上，左手在前，在上，右手在后，在下，两掌斜对相合，手尖均斜向东北。两手复斜向下，转一小圆规相合，左足蹬出，两手分开。转身蹬脚亦同太极拳。

换步搂膝 换步栽锤

左足蹬出后，变搂膝拗步。右手按出，与太极拳同。换步搂膝，左手按出如前，复换步，左手搂膝，右手往右转上握拳，从耳边向下打栽锤，眼神随右拳看。

双叉手

右足向西迈一大步，两手由下分开，转上相合，与双风贯耳同。惟两手用掌，手心向下，指尖相对。

翻身二起脚

右足跟转动，足尖向南，坐实右腿。两手随腰向南，转动相合，右手在额上，手心向外，左手在右肋下，手心向下。左足跟亦同时转动，足尖向东北，坐实左腿，右足向东平踢起，右手心拍足背，左手转至右腰际，手心向上。右足拍后，旋落下，足尖向南。两手相合，作斜十字。左足向东平踢起，左手心拍足背，右手向西分开。

披身伏虎式

左足踢后，即落下，与右足并立。右手由西向上，向东转至左手处，左足往西平迈一大步。两手转动，作披身伏虎式，惟右拳在上，左拳在下，与太极拳相同，而形式相反。转右足跟，左足往东北迈一大步，两手转动，作披身伏虎式，左拳在上，右拳在下，与太极拳相同，而方向形式均相反。

回身蹬脚 双风贯耳

右拳转上，与左拳合，复分开，转身相合。身复向南，蹬左脚，两手分开。左脚提回，两手复翻转相合，至左膝处。左足往东北迈一大步，两手同时分开相合，作双风贯耳式，与太极拳转动均相同，惟方向相反。

右蹬脚 转身左蹬脚

身复转向南，两手随身分开，相合，作十字。右足蹬出，右足提回，身旋转一周，仍向南，左足蹬出。一切转动，均与太极拳相同，惟方向相反。

换步搬拦锤

左足蹬出后，仍收回，足尖下垂落下，足尖向东北。左手随左足往下松，复向上转，左手转至胸前，复随左足往下沈，握拳藏于左肋下。进右步，右手搬拦，左手打拳，右手扶左腕处。左足复提起落下。换步之变动，与换步搂膝同。进左步，右手打步[①]，左手扶右腕处。

注释

① 打步：系“打拳”之误。

如封似闭 进步双按

如封似闭，如太极拳，惟两手分开时，右步略提起前进。两手按出时，左步亦略提起前进。两手复往上松回，右步提起略进。两手复按出，左步提起前进。如揽雀尾之按，惟左足在前。

右单鞭

两手复松回，左手随腰转一小圆规，右手随腰转一大圆规，左手成吊手，右手变单鞭。左足跟转动，足尖向南，右足略往东北迈一大步，如太极拳之单鞭，惟左右手方向不同。

右抎手 右单鞭 下势

抎手由东往西行，变为右单鞭下势，与太极拳方向相反。

金鸡独立、倒辇猴、左斜飞、左提手、左晾翅、左搂膝、海底针、右通臂、撇身锤、进步搬拦锤、播箕式、双托掌、十字手、左归山、右单鞭，以上各式，均如前法，惟右式变为左式，或左式变为右式。

野马分鬃

由右单鞭，复坐实左腿。右手随腰收回，与左手相合，左手在上，右手在下。右足往西北迈一大步。两手分开，右手在前，左手在后。面向西北，成野马分鬃式。

进步肩靠

左足提起，向西北前进半步。两手略向上，往里相合。右足复提起，前进半步。两手合至胸前时，左手轻扶右肘里湾，右手向下松，转一圆规，随右步往下松直，左手仍扶原处。坐实右腿，眼神向西北看。此式如大攦之靠。

玉女穿梭

两手复提起，提至额前。腰往后坐，两手随腰往后松转，右手心本向内者，渐转至手心向外。腰复往前进，右手转至额上，左手按出，成玉女穿梭式。

野马分鬃 进步肩靠 玉女穿梭

右足提起，向里裹步，使足尖向东南，与左足成八字形。两手随步相合，右手在上，左手在下。转身，左足往东北迈一大步。两手分开，作野马分鬃式。两手略向上，往里相合，合至胸前时，右手轻扶左肘里湾，左手向下松，转一圆规，随左步往下松直，右手仍扶原处。两足提起前进，如前法，坐实左腿，眼神向东北看，如大攦之靠。变玉女穿梭，如前法，惟两手及方向不同，右足往东南迈一大步。野马分鬃、玉女穿梭如前法，此变为向东南方，右足仍向里裹步，与右足成八字形，左足往西南迈一大步。野马分鬃，进步肩靠玉女穿梭如前法，此变为向西南方。

左右风轮

右手往上松，往右转动。左手往左松，往下转动。右步往西北迈一大步，如野马分鬃之步。左手随腰，随右步往西北轮转，手心向西北，向外，手指向下。右手随腰，随左步往上轮转，手心向下。左手向左，又向上松转，右手向右，又向下松转。左步往西南迈一大步，右手随腰，随左步往西南轮转，手心向西南，向外，手指向下。左手随腰，随右步往上轮转，手心向下。两手如轮，与抎手相彷佛，惟步法不同。

动步揽雀尾　单鞭　擅[1]手　高探马

轮至右手在上时，左足前进半步，左手随之捧出，变为动步揽雀尾、单鞭、抎手、高探马，均如前法。

注释

①擅：当作“抎”。

十字腿 左右搂膝打锤

由高探马，左手穿出，转身向东，亦如前，惟以左手心拍右足背。拍后，左足提起，落下，足尖向西北，左手搂膝，进左步，右手打拳。转左足尖，使向东北，右手搂膝，左手打锤。

左琵琶 弯弓射雁

左足提起，落下，右足提起收回，两手亦同时收回，右手在前，左手在后，变左琵琶式。由左琵琶，两手随腰向上，向右松转，右手在上，左手在下，如捧球式，转至右边。复向下转，左足向西南迈一大步，两手转至左膝外，复向西北转上，作射雁式，右手略高，眼神亦随之转动。

进步搬拦锤、如封似闭、单鞭下势，均如太极拳。

七星脚退步踢脚转身摆莲

七星脚，如上步七星，惟右足随进步时踢出。退步踢脚，如退步跨虎，惟左足随退步时踢出，踢出后，足不落下，即变转身摆莲，如前法。弯弓射虎、上步搬拦锤、播箕式、双托掌、十字手、合太极，均如前法。

太极拳名人轶事

陈微明

中国拳术，千门万派，不可殚述①。惟武当派太极拳，张三丰所传。乃纯粹内家，以其毫不用气力也（浑身松开，不用气力，方能长内劲）。广平杨露禅先生，受术于河南陈长兴②，传于其子班侯、健侯，健侯传于其子少侯、澄甫。今将杨氏及其弟子就余所知者，略述其轶事如右。

注释

① 不可殚述：不可能详尽地述说清楚。

② 受术于河南陈长兴：从河南陈长兴手中继承了拳艺。

陈长兴（1771—1853 年），字云亭，怀庆府陈家沟（今温县陈家沟）人，精于陈氏拳术，立身中正，形若木鸡，人称“牌位先生”。杨露禅从其学技。

露禅尝习外家拳，其后闻河南怀庆府陈家沟陈长兴者，精太极拳，露禅倾产挈金[1]，往怀庆从长兴学。数年，偶与其师兄弟相较，辄负。[2]夜起溺，闻有声于墙外，乃越墙往观其异，见师兄弟辈，群集于厅中，其师口讲指授，皆拳中精意也，乃伏窗外窃窥。[3]自后每夜必往。他日，其师兄强露禅与之较，露禅不得已许之，不能胜露禅，众大惊异。[4]其师召露禅曰："吾察子数年，诚朴而能忍耐，将授子以意，明日来予室。"[5]翌日，露禅往，见其师，假寐于椅[6]，而仰其首，状至不适。露禅垂手立于侧，久之不醒，于是以手承师之首，良久，臂若折，而不敢稍移。及其师醒曰："孺子来耶，予倦睡矣，明日再来。"露禅退，明日复如约而往，其师已陶然入睡乡矣。露禅屏声息气而待之，其师或张目四顾，见露禅俟于旁，无怨色，且加敬焉，又言如前。[7]露禅第三日往，其师曰："孺子可教也。"于是授之术，令归习之。[8]后其师兄弟或与之相比，而无有能胜之者。长兴谓其他弟子曰："予以所有之功夫，与子辈而不能得也，不与露禅而已得之去矣。"[9]露禅学既成而归，财产已尽。或荐至京师某富家，其家先有一教师，其人庸者，而富于嫉心，[10]闻露禅之来，心甚不快，强欲与露禅斗。露禅曰："吾子必欲一较也，请往告主人。"主人曰："子辈相斗，以戏可耳，然不可致其命也。"露禅既至场中，直立而不动，教师力击之，未见露禅之还手也，而教师已仆于丈外[11]矣。主人大异之，揖露禅而言曰："不知吾子之功，如是其深也。"于是设筵以欵之。宴毕，露禅束装辞去，留之不可。[12]遂授徒于京师。是以京师之习太极拳者，皆杨氏之弟子也。露禅传太极拳术于其子班侯、健侯，期望甚深，日夜督责。二人不能胜任，一欲逃走，一欲雉经，皆觉而未果。[13]然二人年未至冠，已成能手，名震京师。有贵胄[14]闻之，聘班侯为师，馆于其家，月馈束修[15]四十金，甚敬礼焉。雄县刘某者，忘其名，练岳氏散手，有数百斤之气力，授徒千余人。有人两面挑拨，班侯志甚傲，闻之不平，遂相约于东城某处比试。一时传遍都城，聚而观者数千人。二人至场，雄县刘即出手，擒住班侯之手腕。班侯用截劲抖之，刘跌出，狼狈而去。班侯由是名声大著。班侯归，见其父，扬扬得意，眉飞色舞，述打刘之形状。露禅冷笑曰："打得好。袖子已去了半截，这算是太极劲吗?"班侯闻言，自视其袖果然，乃嗒丧[16]而出。班侯云，当其擒住手腕时，有如狗咬云。

注释

①倾产挈金：变卖了家产，携带家当。

杨露禅（1799—1876 年），名福魁。广平府（今邯郸市永年县）人。1840 年前后从陈家沟陈长兴学拳艺成后返乡，在永年教拳，武禹襄昆仲三人从其学艺。后由武汝清荐往北京教拳。从此开启了近代太极拳传播序幕，在京城博得"杨无敌"之名，为日后太极拳的弘扬发展，奠定了坚实的基础。

②数年……辄负：几年里，偶然与其他的师兄弟比试拳技，动不动就输下阵来。

③夜起溺……窗外窃窥：晚上起来小便时，听到有声音从墙外传来，于是就翻墙上去察看动静，看见师兄弟们，集聚在大厅中，听师父在言传身教，一一都是拳技中的精义秘要，于是就伏趴在窗外偷听偷看。

④他日……众大惊异：过些天，有位师兄硬逼杨露禅与他比试，杨露禅不得已就答应了，那师兄没想到自己竟然无法再赢杨露禅，为此，大家都非常惊讶。

⑤其师……明日来予室：他的老师（陈长兴）把杨露禅叫到身边，对他说：我观察了你好几年了，你诚实朴素，能力也强，我决定把拳技中的精

要之意，都传授给你，你明天来我家里吧。

⑥ 假寐于椅：坐在椅子上打瞌睡。

⑦ 露禅退……又言如前：杨露禅却步辞退，第二天如约前往拜访，而他老师却已经沉醉在睡梦里了。杨露禅站在一旁，屏着呼吸，不敢大声喘气。他老师偶然张开眼睛，朝周边看一眼，看到杨露禅毕恭毕敬地站在傍边，脸上丝毫没有抱怨的神色，而且反而多了一份敬畏之意。他老师依然像昨天一样应答他。

⑧ 露禅第三日往……令归习之：杨露禅第三天再如约前去拜访，他老师说：年轻人啊，你有出息，将来是可以有所成就的人。于是就开始传授给他拳技，叫他回去后反复习练。

二水按：师徒之间的此类故事，大凡多从张良与黄石公之间那只鞋子的故事中演变出来。《史记·留侯世家》："良尝闲从容步游下邳圯上，有一老父，衣褐，至良所，直堕其履圯下，顾谓良曰：'孺子，下取履！'良鄂然，欲殴之。为其老，强忍，下取履。父曰：'履我！'良业为取履，因长跪履之。父以足受，笑而去。良殊大惊，随目之。父去里所，复还，曰：'孺子可教矣。'"

⑨ 长兴谓……得之去矣：陈长兴对其他弟子说：我原本打算将一身功夫，都悉数传给你们，而你们却得不到。我原本不打算将这身功夫传授给杨露禅的，而偏偏是他得到了我的功夫离开了。

⑩ 其人庸者，而富于嫉心：那人功夫很平庸，却又有一肚子的嫉妒心。

⑪ 仆于丈外：被跌出在三米之外了。

⑫ 主人大异之……留之不可：主人非常惊讶，向杨露禅恭恭敬敬地拱拱手，说："想不到先生的功夫，竟然是如此这般的高深莫测啊！"于是就特地摆了酒席，设宴来款待他。宴席结束后，杨露禅整理了行装辞行，任凭这有钱的主人怎么挽留，决意地离去。

⑬ 露禅传太极拳术……皆觉而未果：雉，牛鼻绳也。引申为自缢。顾炎武《答徐甥公肃书》："强者鹿铤，弱者雉经"，脾气刚烈的，就会像鹿

一样出逃出去，铤而走险；脾气文弱一些的，就会选择用一个牛鼻子绳来上吊自缢。此句意为杨露禅想将太极拳技艺，传授给两个儿子班侯与健侯，期望很高，日夜的督察，稍有不尽人意处，就会备受责罚。二人都承受不了这种教育方式，其中一个想到离家出逃，另一个竟然想到了上吊自杀。结果都被事先察觉，而未造成后果。

⑭ 贵胄：贵族的后裔。

⑮ 月馈束修：每月奉送的学费酬金。

⑯ 嗒丧：丧气，失意，怅然若失。

杨班侯弟子，至今惟有陈秀峰及富二爷二人。秀峰，武清县人，与澄甫先生同里[①]，余未见之。富二爷住东城炒面胡同，余闻澄甫先生言，亟往访之。年七十余矣。气态若五十。其子年过五旬，不知者以为昆弟行也。[②] 余道钦仰之意，富二爷曰："吾虽为班侯先生弟子，未能传先生之技，盖不练者已四十余年。"余问既得班侯先生之传授，何以弃置不练。答曰："吾父不许练也。先是吾兄习摔角[③]，功夫极好。每日归，必教吾摔角。后应募从军，至甘肃。临行，嘱吾曰：'摔角功夫，不许间断。'别数年归，一见即问功夫如何。吾答曰：'久不练习矣。'兄闻之，意似不悦。吾乃告以从班侯学太极拳，如何不用气力，如何能化人之劲。兄不信。以拳击吾，吾用搬拦锤还击。不意兄由堂屋，跌出院中，仰卧于地，竟不能起。吾大惊，扶之起，已跌伤矣。卧养数日始愈。父大责斥。由是不许练习太极。殊为可惜。亦由年幼太冒失故也。"

注释

① 与澄甫先生同里：与杨澄甫先生是街坊（古代五家为邻，五邻为里）。

② 年七十余……昆弟行也：这位富二爷，年纪已经七十多岁了，看上去气色神态，就像是五十岁上下。他儿子年纪也已五十出头了，不知道的人，还以为他们是弟兄关系。

③ 摔角：摔跤。

富二爷又曰："吾露禅师祖，喜吾勤谨。吾尝在旁伺候，为装旱烟。年八十余，尚练工夫不息。偶至吾家坐谈，一日天雨，泥泞载道，师祖忽至，而所着双履，粉底尚洁白如新，无点污。此即踏雪无痕之功夫也。盖太极清灵，能将全身提起，练到极处，实能腾空而行。[①] 班侯亦有此功夫，知者极少，吾曾亲见一次。"

"师祖函召弟子，于某日齐至其家，谓欲出门一游，有话吩咐。至期俱来，而门外并未套车[②]，众颇异之。是日师坐堂屋正中，弟子拜见毕，各装旱烟一袋，肃立左右。师各呼至前，勉励数语，并传授太极拳大意。顷之，师祖忽拂其袖，端坐而逝。"[③]

注释

① 此即踏雪无痕之功夫……腾空而行：太极清灵，能将全身提起，练到极处，实能腾空而行的所谓"踏雪无痕"的功夫，怪诞不经，视作小说家言，或可资谈助。

② 套车：给驾辕的牲口套上车套，以备远行。

③ 师祖函召弟子……端坐而逝：杨露禅用书信方式把众多弟子召集来

家，说要出远门，而又没有见到以备远行的行装车马。到最后“各呼至前，勉励数语”，顷之“忽拂其袖，端坐而逝”，此类大限将至，而能预知死期，且视死如归的现象，历来被视作佛道高人的最高修为。

唐代志怪小说集《宣室志》就有类似的记载，《太平广记》卷第一百一释证三里，引录如下：

有商居士者，三河县人，年七岁，能通佛氏书，里人异之。后庐于三河县西田中，有佛书数百编，手卷目阅，未尝废一日。从而师者百辈，往往独游城邑，偕其行者。闻居士每运支体，垄然若戛玉之音，听者奇之。或曰，居士之骨。真锁骨也，夫锁骨连络如蔓。故动摇之，体则有清越之声，固其然矣。昔闻佛氏书言，佛身有舍利骨，菩萨之身有锁骨，今商居士者，岂非菩萨乎。然荤俗之人，固不可辨也。居士后年九十余，一日，汤沐具冠带，悉召门弟子会食，因告之曰：“吾年九十矣，今旦暮且死，汝当以火烬吾尸，慎无逆吾旨。”门弟子泣曰：“谨听命。”是夕坐而卒。后三日，门弟子焚居士于野，及视其骨，果锁骨也，支体连贯，若纫缀之状，风一拂则纤韵徐引。于是里人竞施金钱，建一塔，以居士锁骨瘗于塔中。

“露禅师祖逝世后，停灵于齐化门外某寺内。方丈某，亦娴武术。寺为向南，正殿五楹，东西各有厢[①]房数间。灵榇停于西厢内，吾师及健侯师叔，宿厢厢套间内，予亦随侍焉。而东厢旋来一南省人，指甲甚修，语啁哳不可辨[②]，不知为何许人。一日，吾师等外出，嘱予曰：‘不可出此门，并不许与东厢之南人接谈。’予诺而异之。时予年十九，童心未改。师去后，闷坐无聊，静极思动，忽忘前戒。启关而出，至正殿游戏。时右手托一茶碗，于殿上旋转而舞，一跃而登方桌之上，水不外溢，意得甚。适为东厢之南人所见，遽来问讯。予顿忆师言，惶急不敢对，逸归卧室。次日方丈来，与吾师切切私语。吾师初有难色，继似首肯。方丈出，旋偕南人来，吾师对之，其谦抑逾平时，相将出门，久之始归。吾师有得意之色，南人即整装去矣。”③

注释

① 廂：“厢”的异体字。后同，不另注。

② 语啁哳不可辨：或作“语调啁哳不可辨”。啁哳，也作“嘲哳”，鸟叫声，形容其人说话，语调繁杂不清，音量纤细尖高的样子。

③ 方丈出……即整装去矣：方丈出去后，不久，又带了那位南方人进来。我师父招呼他们，他谦逊的态度，远远超过平时。之后，他们相随出门，过了很长时间才回来。我师父脸上显露出颇为得意的神色，而那南方人，随即整理行装离去了。

“又曰，吾师有一女，年十七八，聪慧绝伦，师甚钟爱之，忽急病而死。时吾师他往①，闻讯驰回，已盖棺矣，不觉踊跃痛哭，忽腾起七八尺之高，如悬之空际者。然旁观者，咸舌挢而不能下②，予亦亲见之也。此无他，盖吾师本有飞腾功夫，今痛极踊跃，遽于不知不觉间，流露其绝技也。”

注释

① 时吾师他往：当时我师父正有事去了其他地方。

② 咸舌挢而不能下：（旁观的人）一个个都惊讶得张大嘴巴，舌头伸得很长，举在外面下不来的样子。

杨氏昆仲，虽以精拳术闻于世，然深沈[1]不露，尤善养气，绝无争雄竞长之心，平居谦抑异常。不知者以为无能之辈，大智若愚，大勇若怯，诚哉不可以貌衡人也[2]。某年有一南人来访，时班侯年届六旬[3]，南人极致钦慕之意，谓曰："闻君太极拳粘劲，如胶如漆，有使人不能脱离之妙，愿承明教[4]。"班侯曰："鄙人以先人所习，仅粗知此中门径。何曾会有此功夫。"坚持不允，南人再三请，乃曰："谅君必精于此，如老朽何足以相颉颃[5]。无已，请示试之之法，不知能勉力追随否。"南人曰："试用砖数十块，每块距离二尺余，匀列院中，如太极式，吾在前，君在后，以右手粘吾之背于砖上，作磨旋行，足不许落地，手不许离背。足落地，手离背者为负。"班侯曰："磨旋行，则头脑易昏，恐非老朽所能。然既承教，敢不唯命。"即于院中，如法布置毕。南人先上，缓步徐行。班侯敛气凝神，亦步亦趋，不离南人之背，绕行数匝。南人身轻如燕，渐走渐速，迅如飞轮。班侯亦运其飞腾之术，追风逐电而行，依然不离分寸。南人无法摆脱，忽飞身一跃，踪上屋面，回顾院中，不见班侯踪迹，深为骇异。而不知班侯，仍在其后，抚其背曰："君恶作剧，累煞老朽。且下，一息何如。"南人不禁愕然，乃大拜服，订交而去。

注释

①深沈：深沉。

②诚哉不可以貌衡人也：实在是不能只靠相貌来衡量人啊。

③年届六旬：年纪已经 60 岁了。

二水按：通常所见的资料中，杨班侯寿限 55 岁。此 60 岁，或可存疑之。

杨班侯（1837—1892年），名钰，字班侯。永年广府人。太极拳宗师杨露禅次子，自幼随父习太极拳，承其家学，性情刚躁，拳势紧凑，协助乃父杨露禅赴京城传授太极拳，共同开创了近代太极拳的繁荣局面，厥功至伟。

④ 愿承明教：愿意接受高明的指教。

⑤ 如老杇何足以相颉颃：像我这样的老头，怎么能跟您较量呢。颉颃，鸟上下飞的模样，引申为较量。

健侯[①]为神武营教练时，年已七十余矣。一日自外归，有莽汉持棍，出其不意，自后击之。健侯忽转身，以手接棍，略送之，莽汉已跌出寻丈。健侯能停燕子于手掌心，燕子不能飞去。盖能听其两爪之劲，随之下松，燕子两足，不得力，不得势，而不能飞也。[②]

注 释

① 健侯（1839—1917年）：杨健侯，名鉴，字健侯，号镜湖，河北永年人，杨露禅之三子，人呼老三先生。性情温和，德高望重。子兆熊、兆元、兆清及许禹生等得其传。兆清，字澄甫，人称“三先生”。早年拜入杨澄甫门下的张钦霖、田兆麟、牛春明等，都得其拳艺。

② 能停燕子于手掌心……而不能飞也：从“一羽不能加，蝇虫不能落”句滥觞而来。今人又有掌心停八哥、鸽子者，不一而足。

露禅之弟子王兰亭，功夫极深，惜其早死。有李宾甫者，闻系从兰亭学，艺亦甚高，访之者极众，而未尝负于人。一日有少年来访，口操南音，手离几椅[①]数寸许，扬其手，几椅随之腾起，悬于空中。

宾甫见之骇然，少年欲与比试，宾甫逊谢不获[②]。少年遽进，时宾甫左手抱一小狗，仅右手与之招架，数转之后，少年已跌于地，乃痛哭而去。

有习顶功者，欲与宾甫角，宾甫谢之不肯，宾甫以手按其腹，未一月即死于逆旅之中。[③]

注释

① 几椅：茶几、桌椅。

② 宾甫逊谢不获：宾甫谦让着推辞，比试没有得逞。

③ 有习顶功者……逆旅之中：顶功，头上的功夫。逆旅，旅店。只是用手按对手腹部，就把人弄死，叙事怪诞且不论，未知其时之法律是否追责之。

余从澄甫先生学习数年，澄甫先生曰："世间练太极拳者，亦不在少数，宜知分别纯杂，以其味不同也。纯粹太极[①]，其臂如绵裹铁，柔软沉重。推手之时，可以分辨（太极有二人推手之功夫）。其拿人之时，手极轻，而人不能过。其放人之时，如脱弹丸，迅疾干脆，毫不费力。被跌出者，但觉一动，而并不觉痛，已跌丈余外矣。其粘人之时，并不抓擒，轻轻粘住，即如胶而不能脱，使人两臂酸麻，不可耐。此乃真太极拳也。若用大力按人推人，虽亦可以制人，将人打出，然自己终未免吃力，受者亦觉得甚痛，虽打出，亦不能干脆。反之，吾欲以力擒制太极拳能手，则如捕风捉影，处处落空。又如水上踩葫芦，终不得力。此乃真太极意也。"其言之精如此，余试之诚然，不能不令人佩服矣。

注释

① 纯粹太极：杨澄甫论及纯粹太极，精彩绝伦。用推手的方式来检验之：

（一）拿人的时候，手法轻清，而被拿的人，浑然不知其被拿，一旦知道被拿住了，想逃也逃不了了。

（二）发放人的时候，像是弹丸脱离弹夹，迅速而干脆，毫不费力。被跌出去的人，也只是感觉稍稍动了一下，而丝毫感觉不到疼痛，不知不觉就被跌出三四米外了。

（三）粘人的时候，并不是用手去生抓硬擒，而只是轻轻地粘对手的接触点，接触点就像是被胶水粘着了，而无法逃脱。对手想尽办法来逃脱，反而觉得两臂异常酸麻，无法忍受。

推手时，感觉到以上几点，那么就是纯正的太极拳了。

太极拳与各种运动之比较

陈志进[①]

太极拳与摔角之比较

摔角盛行于内外蒙古，又名掼跤。前清政府，为防备蒙人起见，极力提倡。故北京保定等处，掼跤厂甚多。惟须少年之人，身体强壮，多力耐劳，能吃苦者，始为合宜，一年即可成功。故谚有“三年把势，当年跤”之语。然此一年中，练时甚苦，须半夜起身苦练。有跑坟之工夫：因北地之坟，都是上尖下大，且甚高大。练者由坟顶，直腿往下猛跑，而不摔倒为止。有一足独立之工夫：一足立牢，一足与二手头身，成为水平线，以不摇动，能久立为止。有踢袋之工夫：手提百十斤之砂袋，双足交换而踢，以能踢飞而止。有掼砂袋之工夫：用数十斤之铁砂袋，数人彼掼此抓，以不失落为止。故摔角之人，至老年时，双腿僵直，行步艰难。入厂掼跤，有特制之衣，衣此衣，摔死不偿命。心术坏者，每借此为害人之地。

练太极拳，身体越练越康健，得其三昧，不自作聪明，按其规矩而练，身体筋骨，绝无僵硬之时。而跌人之妙，更过于摔角。杨露禅先生，八十余岁时，[2] 在水泥上行走，鞋底不湿，可知其步履轻捷矣。

注释

① 陈志进：生卒不详。田兆麟老师早年的弟子，后也从杨澄甫老师学拳。1927 年 11 月，剑仙李景林来上海，叶大密老师约陈微明与陈志进一同向李景林学习武当对手剑法。陈志进美髯飘逸，掌大如蒲扇，一副仙风道骨相。陈微明《太极拳术》合步推手七幅照片、大搬第三、第四幅照片中，白衣美髯者，就是陈志进。当年上海拳界，昵称他为“陈大胡子”。众多的杨家师兄弟中，几无人能逃脱陈大胡子的“按劲”。抗战全面爆发后，陈购置庐山别墅，离开孤岛上海，过起渔樵耕读的隐居生活。临行，与叶大密老师道别，两手又作手谈。就这一次，陈大胡子的按劲怎么也不能在叶老师身上发挥其威力来。陈大胡子爽朗地笑了：“伯龄，你的功夫大进啦!”抗战结束后，经多方打听，从庐山传来的消息说有一须髯道士，坠落山崖致死。叶大密老师说，没想到自此一别，竟成永诀!

② 杨露禅先生，八十余岁时：此节文辞，从陈微明记录的富二爷述说杨家传奇中化出，“八十余岁”也讹传自“富二爷又曰：‘吾露禅师祖，喜吾勤谨。吾尝在旁伺候，为装旱烟。年八十余，尚练工夫不息’”句。杨露禅，寿限 77 岁。就像是富二爷述说杨班侯年寿“年届六旬”，或可存疑之。

太极拳与八段锦之比较

八段锦，为我国文人运动之一种，而种类亦复不少。有大八段锦、小八段锦、十二段锦。混言八段锦、九宫靠等。练之舒长筋骨，活动气血，甚为有益。然只一人，单独练习，不动步，其效止于身体康强而已，不能防身御侮也。

练太极拳，亦是舒长筋骨，活动气血，而内外齐练，周身活动，自始至终，一气贯串，上下相随，内外相合。练之者有强身之乐，有防身之能，无单练之寂寞，有推手之欢乐。

太极拳与弹腿之比较

弹腿传自回教，法甚简单。今遍中国皆有练之者，大同小异，少有不同，练时尚弹劲，一发无余，一拳一腿，须收回再出。有单练，有对打。余曾练二三年，故知其详。

太极拳循环无端，如常山蛇[1]，首尾相应，粘处皆可放劲，接手即能打出，不必收回之后，再去二劲也。

注释

① 常山蛇：传说中的一种能首尾救应的蛇，仿制为首尾相顾的阵势。《孙子·九地》："故善用兵者，譬如率然。率然者，常山之蛇也。击其首则尾至，击其尾则首至，击其中则首尾俱至。"

太极拳与柔软体操之比较

柔软体操，传自泰西，遍行于学校军队之中。与八段锦相似，亦无防身御侮之能，而练之者，亦少兴趣。不过国人震于泰西之传授，极端迷信，而行之数十年，绝无成效之可言。

若练太极拳，练熟之后，习惯成自然，终身练之。无论士农工商，每日有一小时之工夫，即能内强其身，外防侮辱。

而练柔软体操者，一出学校，一离军队，每日自练者，有之乎？

若太极拳，既会之后，得其趣味，自有不能舍之之意。

太极拳与田径赛之比较

田径赛，须少年为之，非尽人可能。练之者多受内伤，有吐血晕绝之患。每观比赛，旁观者鼓掌称贺第一，而胜者已恹恹不堪，面无血色，浑身瘫软，二人架之，行数十分钟，始能渐渐回复原状。

太极拳，则不论老幼男妇，皆可练习。练之者身体日强，久而久之，得其趣味，虽欲舍之不练，亦不能矣。

太极拳与足球之比较

足球：练顶，练肩，练腿足，运动甚为有益。然亦只能少年、壮年能之，幼年、老年则不相宜。

练太极拳：要松肩，垂肘，矬手腕①，含胸，拔背，提顶劲。足球之益，太极拳悉有之也。

注释

① 矬手腕：坐腕之意。

二水按：每一式势成势之时，凡是掌成势者，须将掌根下沉，手指节节领起，劲由手臂阴侧向外贯至掌根，四指并拢，虎口撑圆，手指舒展。

太极拳与西洋拳术之比较

西洋拳术，专尚力，不从巧妙处用功。二人对打之时，带皮手套，打胸部以上，头脸以下，跌倒不为输，且有种种限制，甚不自由，无趣味可言。而老年之拳术家，则未见之。

太极拳与人对手，可以伤，可以不伤。伤、不伤，在于心术之良否，不在拳脚上也。练太极拳工久者，周身不受击，击之者自跌。杨露禅先生，七十余岁时，常钓鱼于河上，背受二人之击。击之者，反由露禅先生之头上，跌入河中。露禅先生，坐钓如故，并未动也。杨镜湖先生，八十岁时，① 坐于椅上，腹受少年人之拳，力多者，跌出愈远。

注释

① 杨镜湖先生，八十岁时：杨健侯，号镜湖，寿限为78岁，“八十岁时”，也可存疑之。古人局限于生活环境、医疗卫生条件、生活境遇等，人生七十古来稀，寿至七十，也已高寿了。

太极拳与日本柔术之比较

柔术，本传自我国之摔角，日本人又从而研究之，今盛行于三岛之间。今者十人而九①，日本之强盛，大有力②焉。然不能与中国之拳术较。

盖拳术，为我国人独得之秘，地球之上，莫之能京③。柔术之主要，在防人之攻击，对练者多，单练者少，一人独居，则无聊焉。太极拳独练对习，皆有趣味。独练走架，是知己工夫，是体；二人对练推手，是知人工夫，是用。练久者自知其妙。

注释

① 今者十人而九：今，“会”之误。意思说“在日本，十个人中，有九个会柔术”。

二水按：对一个国家特征性明显的文化符号，外人窥测，时或一孔之见，常常会不经意地放大孔中镜像。就像早年在西方人眼中，中国人，人人都是李小龙。这是一个道理。

② 大有力：作用很大，功劳很大。

③ 莫之能京：京，象形，像筑起的高丘形，其上尖端耸起。以其雄伟，引申为国度。莫之能京，也作“莫之与京”“大莫与京”，意思是说“其博大精深，无法与之相比的”。

太极拳与各种拳术之比较

中国拳术，千门万派，省省不同[①]。约而言之，不过内工外工，花拳而已。江湖卖艺者流，习练花拳，博无识者之赞美，不过营业之一种，或为盗贼之媒，不登大雅之堂，置而不论。练外工者，尚力，以能受击为强，而忽于内。筋骨之强者，临终时，散工之际，[②] 最为痛苦，欲死不能死，令人目不忍见。

练太极拳者，无此病也。

注释

① 省省不同：每个地方都不一样。

② 临终时，散工之际：市井时有拳家临终散功之说，语多怪诞不经。

二水按：生老病死，原本就是生命体的自然规律。文王之易，以一气之流行，自震而离而兑而坎，周而复始，七日来复，以此揭示万事万物内在结构的完备体系，以及结构内部变化发展的规律性。生命，就像是由种子而发芽、而茁壮、而开花、而结果，乃至果实而剥落，脱离原先的生命体，再以新生命的形式，得以延续。太极拳“张三丰承留”所说的“水火既济焉，愿至戌毕字”，“毕入于戌”，九月为戌。时序到了九月，万物毕成，新的果子，又将以新的生命体形式，得以继往开来，常续永绵。

面对死亡，又需要有大智慧，儒释道于此各有千秋。佛教认为，死，就肉体而言，不过是身体四大“地水火风”的分解还原。就精神而言，需要排除临终弥留之际，来自对死亡畏惧及种种如幻业障。道家，返璞归真，死，形之化也，本真之练蜕也，躯质之遁变。故可蝉蜕，可蝶化，可羽仙，可尸解……种种境遇，旨在由衷培植视死如归的大无畏。儒家则更为理性，也更为智慧，宣教“大上有立德，其次有立功，其次有立言。虽久不废，此之谓不朽”，以“三不朽”来激励儒学者内修浩然正气，以“死而不朽”来解生死之困结。

太极拳旨在锻炼与神往来的魂，与并精出入的魄。生命之树结了果实，聚精会神，性命合一，收魂敛魄之后，“精气神”这个人格软件压缩包，上传到了云端了，当“身”这台电脑硬件彻底坏了，躯体腐朽之后，新的电脑硬件能够因缘际会，再从云端下载那颗不朽的“心”。“种子”，上传于云端的人格软件压缩包，就会以一种新的生命体形式得以延续。此乃太极拳的“死而不朽”之理；也是仙道的本体虚空，超出三界；也是佛学的不垢不净，不生不灭。这才是“执中”“守中”“空中”；这才是太极拳最为崇高的定位。

太极拳之品格功用

陈志进

太极拳为武当嫡派，乃张三丰祖师因观鹊蛇之斗，忽有会心，发明此拳。盖恐修道之士，静坐功深，血脉有凝滞之患，山行野宿，突然有野兽之厄，是以因观鹊蛇之斗智，仿禽兽之飞跃，法天地自然之理，参太极阴阳之秘，创此太极拳以传修道之士，为静功之助。

久练之后，且有卫身之能，延寿之益。故其歌诀中有“详推用意终何在，益寿延年不老春”之语。而练拳之时，纯以神行，不尚拙力，故其歌诀中又有“若言体用何为准，意气君来骨肉臣”之语。最要而最难者，为“尾闾中正神贯顶，满身轻利顶头悬”，此中大有讲究。祖师云游四方之时，悯文人之懦弱，时受强暴者之侮辱，而无抵御之策，遂留传世间，以柔克刚，以弱制强，无力打有力，借人之力，顺人之势。自此以后，太极拳为世所重，称为武当派，出于少林之上。

得斯术者，如获至宝，不肯轻易传人，必深知其人之德行操守，又加以多年之精密考察，始肯传其秘诀。学拳之外，有必须遵守之规律：

一不许保镖护院；

二不许沿街卖艺；

三不许为绿林响马，以玷身家而累师傅①。

由此观之，非品格高尚之人不能学；非坚忍卓绝之人不能学。学之者有变化气质之功能，性暴燥而急促者，可使之平和而安详。盖练拳之时，全身松开，顺乎自然，浑圆流利，气沉丹田。心中空空洞洞，思虑全无，如庄周之梦蝶，人蝶不分。练完之后，自己曾练与否，亦不之知。练太极拳到如此境界，有何病不可去。不但自己如此，旁观之人，亦不觉②心平气和，与之俱化。练拳之时，不许脱衣赤身，须穿长衫马褂，从容文雅。不咬牙瞪眼，亦不喝叱怪叫。夫太极拳之功用，未病者，能使永无疾病。已病者，虽沉疴宿患③，皆能拔除。虽属技艺，称为医王，有何不可。要知此种太极拳术，为养生却病之最妙法术。诸君观之，当不以余言为河汉④也。

注释

① 以玷身家而累师傅：玷，白玉上之斑点。累，累及，牵连，拖累。“傅”，为“传”之误。全句当为“以玷身家而累师传”，意为玷污了一家人的身家清白，也牵连了师门传承的名声威望。

② 不觉：不知不觉，不由自主。

③ 沉疴宿患：久治不愈的病患。

④ 河汉：银河。天方夜谭，以喻浮夸而不可信的空话。

定价大洋八角

著者 陈微明
发行者 致柔拳社
印刷者 中华书局
代售处 中华书局及各大书坊

新书预告

武学名家典籍丛书

孙禄堂武学集注

（形意拳学　八卦拳学　太极拳学　八卦剑学　拳意述真）

孙禄堂　著　孙婉容　校注　　定价：288 元

○ 接近传奇，从读懂原著开始

○ 孙禄堂的武功究竟有多高——“虎头少保”“天下第一手”

○ 孙禄堂之嫡孙女——孙婉容权威诠释

○ 解密“炼精化气，炼气化神，炼神还虚”的内家拳法

○ 孙禄堂亲配全套珍贵拳照，逐式详解孙氏武学

杨澄甫武学辑注

（太极拳使用法　太极拳体用全书）

杨澄甫　著　邵奇青　校注

○ 大器晚成的太极宗师

○“随手发人于丈外”的技击大师

○ 内含：老谱三十二目、单人用功法、散手对敌图等杨家秘传拳谱

○ 披露杨家的实战轶闻，揭秘杨澄甫为何要销毁《太极拳使用法》

○ 杨澄甫亲配全套珍贵拳照，详解正宗杨式太极拳

陈微明武学辑注

（太极拳术　太极剑　太极答问）

陈微明　著　二水居士　校注

○ 书香累世的陈微明，何以由“名儒”变身“武痴”？

○ 创立致柔拳社，继杨澄甫之后的杨式太极中兴人物

○ 得杨澄甫亲传，以师徒问答实录，重现太极拳授受过程

○ 阐明“抟气致柔、动静交修”之拳理

○ 载其师杨澄甫早期拳照，为研究杨家太极拳的重要史料

（第一辑）

李存义武学辑注

（五行连环拳谱合璧　三十六剑谱　岳氏意拳五行精义）

李存义 著　阎伯群 李洪钟 校注

形意武术教科书

张占魁 著　吴占良 校注

薛颠武学辑注

（形意拳术讲义　象形拳法真诠　灵空禅师点穴秘诀　五行拳）

薛颠 著　王银辉 校注

（第二辑）

陈氏太极拳图说（详注版）

陈鑫 著　陈东山 杜修鸿 陈晓龙 校注

太极拳释义

董英杰 著　杨志英 校注

太极拳势图解

许禹生 著　唐才良 校注

（第三辑）

形意拳术

李剑秋 著　王银辉 校注

形意拳术抉微

刘殿琛 著　王银辉 校注

阎道生武学辑注

阎道生 著　阎伯群 校注

（第四辑）

○结合易学、黄帝内经、诸子经典、宋明理学详细注解
○阐释太极拳理论由初创到繁荣、再至巅峰的发展过程
○对太极拳源流、内涵、功法重做界定与分野
○揭示了隐匿于武学深处的理论依据

王宗岳太极拳论

李亦畬 著　　二水居士 校注　　定价：50 元

“老三本”太极拳谱是太极拳历史上的里程碑，它开启了近代太极拳开枝散叶的发展过程，堪称太极拳“元”理论。本版以“老三本”中流传最广、影响最大的李亦畬手抄、郝和珍藏本为基础，参合央视《寻宝》节目中的民间国宝“启轩藏本”及坊间流传的相关内容，为老三本做一次精彩的亮相。

太极功源流支派论

宋书铭 著　　二水居士 校注　　定价：68 元

宋书铭所传拳谱，据传为其祖先宋远桥所手记。民国初年始宣于世，各家多有抄存留世。本版选用范愚园抄本。此谱直接与《王宗岳太极拳论》《太极法说》相互关联，可以作为深入探寻太极拳理论的比较研究文本。

太极法说

二水居士 校注　　定价：65 元

此谱俗称三十二目，为杨氏家传拳谱，具备独特的拳学概念，阐述了太极拳的至尊拳理。本版选用吴鉴泉题签“太极法说”为底本，参合杨振基“杨澄甫家传的古典手抄太极拳老拳谱影印”、杨澄甫《太极拳使用法》、董英杰《太极拳释义》、田兆麟《太极拳手册》等相关资料，加以点校注释。

（第一辑）

手臂录

吴殳 著　刘长国 校注

手战之道

赵晔 沈一贯 唐顺之 何良辰 戚继光 黄百家 黄宗羲 著

王小兵 校注

（第二辑）

百家功夫丛书

张策传杨班侯太极拳108式（配光盘）

张喆 著　韩宝顺 整理　定价：48元

○民国宗师“臂圣”张策传功，其堂弟张喆著书，集太极、通臂之大成

○第三代嫡传人韩宝顺系统整理并配以影像

○套路招式、实战用法、推手演练，阐明呼吸吐纳之法，助习练者掌握太极拳的心法要领

○持之以恒，更可促进体内各器官的生理作用，对养生健体大有裨益

河南心意六合拳（配光盘）

李洳波 著

○国家级非物质文化遗产，展现回教武术文化

○继承河南马派心意拳传系，保持古朴原始的拳术风貌，以十大形、七小形、多种功、技、法、式为主要传承载体

○收录“岳武穆王九要论”等多篇口传秘诀，以及马派宗师马学礼、吕瑞芳传奇轶事

（第一辑）

张鸿庆形意五行拳释秘　邵义会 著

张鸿庆形意十二形释秘　邵义会 著

形意八卦拳　贾保寿 著

杨式太极拳内功心法　　胡贯涛　著

戴氏心意拳功理秘技　　王　毅　著

（第二辑）

华岳心意六合八法拳　　张长信　著

程有龙传震卦八卦掌　　奎恩凤　著

王映海传戴氏心意六合拳　　王映海　王喜成　著

（第三辑）

民间武学藏本丛书

守洞尘技

山西通臂拳谱

心一拳术

福建少林寺武术

（第一辑）

老谱辨析点评丛书

再读孙禄堂《拳意述真》

再读王宗岳《太极拳经》

再读戚继光《三十二式》

（第一辑）

图书在版编目（CIP）数据

陈微明武学辑注——太极剑 / 陈微明著；二水居士校注.——北京：北京科学技术出版社，2016.6

（武学名家典籍丛书）

ISBN 978-7-5304-8218-6

Ⅰ.①太… Ⅱ.①陈… ②二… Ⅲ.①剑术（武术）－研究－中国 Ⅳ.①G852.24

中国版本图书馆 CIP 数据核字（2016）第 040581 号

陈微明武学辑注——太极剑

作　　者： 陈微明
校 注 者： 二水居士
策　　划： 王跃平　常学刚
责任编辑： 王跃平
责任校对： 贾　荣
责任印制： 张　良
封面设计： 张永文
版式设计： 王跃平
出 版 人： 曾庆宇
出版发行： 北京科学技术出版社
社　　址： 北京西直门南大街 16 号
邮政编码： 100035
电话传真： 0086-10-66135495（总编室）
0086-10-66113227（发行部）　0086-10-66161952（发行部传真）
电子信箱： bjkj@bjkjpress.com
网　　址： www.bkydw.cn
经　　销： 新华书店
印　　刷： 保定市中画美凯印刷有限公司
开　　本： 787mm × 1092mm　1/16
字　　数： 114 千
印　　张： 13.25
版　　次： 2016 年 6 月第 1 版
印　　次： 2016 年 6 月第 1 次印刷
ISBN 978-7-5304-8218-6 / G·2396

定　　价：55.00 元